Francesco Alberoni

Ten coraje

Obras de

FRANCESCO ALBERONI

publicadas por

Editorial Gedisa

TE AMO

EL OPTIMISMO

VALORES

EL VUELO NUPCIAL

ENAMORAMIENTO Y AMOR

LA AMISTAD

EL EROTISMO

LAS RAZONES DEL BIEN Y DEL MAL

LOS ENVIDIOSOS

EL ÁRBOL DE LA VIDA

EL PRIMER AMOR

Ten coraje

por

Francesco Alberoni

Título del original en italiano: *Abbiate corraggio*

© Francesco Alberoni, 1998

Traducción: Juan Carlos Gentile Vitale

Diseño de cubierta: Enrique Guelar

Segunda edición, marzo de 1999, Barcelona

Derechos reservados para todas las ediciones en castellano

© *by* Editorial Gedisa, S.A.
Muntaner, 460, entlo., 1.ª
Tel. 93 201 60 00
08006 - Barcelona, España
e-mail: gedisa@gedisa.com
http://www.gedisa.com

ISBN: 84-7432-737-7
Depósito legal: B-12.258/1999

Impreso en Limpergraf
c/ Mogoda, 29-31. 08210 Barberà del Vallès

Impreso en España
Printed in Spain

Índice

1

La batalla

El coraje tiene muchas formas y está constituido por numerosas cualidades o virtudes. En la larga historia de la humanidad siempre ha estado ligado a la capacidad de arriesgar la vida y la fortuna en un desafío, en una batalla. Grandes imperios han sido conquistados o perdidos en un único enfrentamiento. Pero también en nuestra vida cotidiana, cuando no hay ninguna guerra, cada tanto debemos confrontarnos valerosamente con un obstáculo o con un adversario, afrontar una batalla.

El asalto

Para conquistar una trinchera o los muros de una ciudad, siempre es menester el asalto. También en el campeonato de fútbol hay períodos de preparación, de pruebas, a los que sigue el esfuerzo concentrado del partido.

Cada vez que hay un obstáculo, de cualquier naturaleza, debemos unir nuestras fuerzas y emplearlas todas juntas en un lugar y en un período determinados. Así desarrollamos, en ese momento, una enorme energía y transmitimos esa impresión de potencia al otro.

Para superar un examen no basta con haber estudiado. También es menester presentarnos a la cita seguros de poder convencer a nuestro examinador de que dominamos el tema.

Todas las cosas importantes de nuestra vida acaecen así, por «campañas» y «ofensivas». No sólo los exámenes y las oposiciones. Ocurre lo mismo con el trabajo. Hemos comenzado con entusiasmo una nueva actividad. Luego, ésta, poco a poco, se hace rutinaria. Nos sentimos desaprovechados, inútiles. Entonces comenzamos a mirar a nuestro alrededor en busca de algo nuevo hasta que, un día, se presenta la ocasión. La aferramos, nos lanzamos a la nueva actividad con todas nuestras fuerzas. Y entonces volvemos a sentirnos vivos y creativos. Por fin podemos demostrar nuestras capacidades. Al recomenzar, nuestras energías se multiplican.

Hay personas que son más capaces que otras de despertar dentro de sí estas energías extraordinarias. Son los grandes empresarios, los creadores y los constructores, aquellos que hacen cosas importantes en todos los sectores en los que se aplican. Ya se trate de crear una empresa, de construir un hospital o una universidad, de organizar un partido político, de encontrar los recursos para realizar una película o de escribir una gran novela.

Cada vez afrontan la tarea con ímpetu, con empuje, con una mirada fresca y nueva. Miran donde los demás no han mirado. Van de inmediato a lo esencial. No se dejan distraer por el pasado, por los detalles sin importancia. Debemos aprender de ellos cómo se afronta un desafío sin reservas.

Es impresionante ver a estas personas manos a la obra. Desarrollan una energía cien, mil veces superior a la de las personas normales. Sus procesos mentales se vuelven fulminantes.

Donde antes todos encontraban impedimentos y dificultades descubren posibilidades y ocasiones. Son incansables y entusiastas. Comunican su confianza a los demás, los convencen, los involucran. Imprimen a todo un ritmo frenético y, sin embargo, esa gente no se cansa. Hacen centenares de llamadas telefónicas, mítines y encuentros. En poco tiempo, reúnen a personas y recursos antes separados o incluso hostiles. Obtienen financiaciones impensables.

Otras veces inventan el modo de prescindir de ellas, para no pedir nada a nadie. Sus empresas son favorecidas por la fortuna. Al final todos se quedan asombrados de la facilidad con la que pueden hacerse las cosas.

De vez en cuando, al verlos trabajando, no se entiende si son diabólicamente astutos o bien extremadamente ingenuos. Si son diplomáticos consumados, seductores habilísimos o almas sencillas. Quizá a ellos pueda aplicarse verdaderamente la palabra del Evangelio: «Sed cándidos como palomas y astutos como serpientes». Están convencidos de que la fe mueve montañas.

Para ellos no hay cosas imposibles, obstáculos insuperables o enemigos jurados. Con su fe convencen a los adversarios, los transforman en aliados.

Luego, creada la obra, de costumbre dejan que los demás se ocupen de su administración ordinaria.

Entran en una nueva fase de latencia. Parecen apartados del mundo, al que miran arrobados o ausentes. En realidad, se preparan para otro acto creativo, para otra ofensiva.

La batalla

En el poema indio *Mahabhārāta*, los primos Pandava crecen junto a los Kaurava hasta que Duriodana, el jefe de los Kauraba, comienza a perseguirlos. Así se llega a la guerra. Pero, cuando los ejércitos están alineados, el príncipe Arjuna vacila en dar inicio a la batalla. Piensa en todos aquellos que morirán, amigos y parientes. Lleno de horror, deja caer el arco y decide no combatir. Entonces el dios Krishna se le revela y lo empuja a lanzarse a la lucha. La negativa de Arjuna es la negativa de la conciencia moral inmediata, que tiene horror a la violencia. Pero la naturaleza es violenta. Para vivir estamos obligados a la lucha. El dios representa esta necesidad. El momento del enfrentamiento siempre tiene que surgir, en la vida individual y social.

Existen larguísimos períodos en que las divergencias quedan allanadas a través de intercambios y compromisos. A veces el estado de conflicto crónico, como en los países donde conviven dos grupos étnicos, se mantiene bajo control, asignando a cada grupo unas cuotas fijas. Pero, tarde o temprano, llega siempre alguien que pretende un poder excesivo. Entonces se rebelan aquellos que buscaban un compromiso. El campo se polariza. Todos están obligados a alinearse de un lado o de otro, porque no puede tomarse ninguna decisión sin que se establezca un nuevo límite y una nueva ley. Los ánimos piensan obsesivamente en el enfrentamiento decisivo, que decidirá quién será el vencedor y quién el vencido.

No hay momento más dramático, no hay tensión más grande de la que precede a la batalla. Porque cada uno pone en juego sus recursos y sus esperanzas, a veces su vida. En pocas horas se decide el destino de un reino, de un pueblo. Con la batalla de Zama queda definitivamente destruida la grandeza de Cartago. Después de la batalla de Isso el imperio persa cae en manos de Alejandro. En Waterloo, Napoleón lo pierde todo. En un tiempo brevísimo se decide no sólo el destino de los combatientes, sino también el de las generaciones futuras, de toda una civilización.

También existen batallas sin el uso de ejércitos. Por ejemplo, en política. El sistema político puede permanecer en equilibrio durante mucho tiempo. Los periódicos y los telediarios nos dan cada día un obsesivo boletín de ataques, contraataques, acusaciones y escándalos que parecen siempre a punto de provocar consecuencias irreparables. Por el contrario, no cambia nada, pues la relación de fuerzas es estable. Pero, cada tanto, este equilibrio se rompe de verdad. Entonces todos se alinean y se dan batalla. En Italia, ha sucedido con Manos Limpias. Su victoria ha significado el fin de la Primera República.

El mismo proceso acaece también en una empresa, en una asociación o en un grupo directivo. Siempre hay un momento en que la tensión sube de manera paroxística. Gente que solía ser afabre se obstina i se vuelve intransigente como empujada por una fuerza invencible. Se forman dos grupos contrapuestos y compactos, decididos a aplastar a su adversario. Hay, en esta movilización, algo fatal. Son los días del odio. Entonces también nosotros nos sentimos tentados, como el príncipe Arjuna, a renunciar a combatir. Pero rara vez lo hacemos. Como él, nos dejamos convencer, por algún dios o algún demonio, de lanzarnos a la lucha.

Avanzar y retirarse

El coraje tiene dos rostros, el de avanzar y el de detenerse o de retirarse. En la vida de los individuos, de las empresas y de los pueblos, hay momentos particularmente favorables en los que se pueden hacer cosas extraordinarias. En
esos momentos se puede forzar el destino, atreverse, lanzarse hacia adelante. Los griegos llamaban *Kairós* a ese momento
excepcional. Pero es preciso saber reconocer la ocasión, el momento propicio. Y para poder hacerlo es menester una inteligencia lúcida, saber descifrar las señales que nos llegan de la
realidad, pero también requiere un esfuerzo por nuestra parte. Porque todos tendemos a pensar que las cosas continuarán
del mismo modo, nos aferramos a los hábitos y tenemos miedo de arriesgarnos.

A menudo las señales que nos llegan de la realidad son in-
tensas, pero nosotros no sabemos captarlas. En Italia, apenas
terminada la guerra, la gente tenía ganas de vivir y de estar
bien. Nos lo muestran películas como *Pan, amor y fantasía* o *Pobres pero guapos*. Pero los ideólogos, los intelectuales y los eco-
nomistas no lo entendieron. Por ejemplo, pensaban que la mo-
torización llegaría muy tarde y, como en otros países, con el
automóvil. Por suerte hubo empresarios que sí entendieron
las necesidades de la gente y su deseo de movilidad. Entonces

crearon un medio de transporte completamente nuevo: la motocicleta. En poco tiempo toda Italia estaba motorizada.

Pero si hace falta intuición y coraje para lanzarse hacia adelante cuando las circunstancias son favorables, también hace falta intuición y coraje para darse cuenta de que las circunstancias son adversas y de que ha llegado el momento de detenerse o de retirarse.

El ejemplo más famoso es el de Napoleón. Al principio, los pueblos europeos, bajo la influencia de las ideas de la Revolución francesa, aspiraban a la libertad, al cambio. El joven general que derrotaba a las dinastías milenarias representaba, a sus ojos, la libertad y el futuro. Más tarde cambiaron las circunstancias. Napoleón aparece cada vez más como el emperador de los franceses, como el déspota que distribuye reinos entre sus parientes. El primero en rebelarse fue el pueblo español. Pero Napoleón no entendía el significado de esta revuelta. Aún pensaba que podía doblegar al enemigo en una batalla campal, como lo había hecho siempre en el pasado, y empezó la expedición de Rusia. Esta vez, empero, en vez de dar batalla, el zar y Kutuzov se retiraron y no pidieron la paz.

¿Por qué Napoleón no entendió lo qué estaba ocurriendo? ¿Porque no era inteligente? ¿Porque la acción de los otros era oscura? No, él era inteligente y los otros obraban de la manera más clara. Cayó víctima de un error que cometemos todos: no tenemos el coraje de admitir que las circunstancias han cambiado y que debemos modificar radicalmente el comportamiento.

Es más fácil aprovechar el viento favorable que darse cuenta de cuándo ha cambiado de dirección. Solemos pasar por alto el cambio del viento, porque en el fondo sabemos que habría que cambiar de estrategia. La persona que ha tenido un gran éxito suele empecinarse en aplicar el mismo esquema, segura de su buena estrella. Éste es el motivo por el que hombres como Churchill y De Gaulle, que habían dirigido victoriosamente la guerra, perdieron las elecciones cuando llegó la paz. Margaret Thatcher, habituada a imponer siempre su voluntad, cayó porque se empecinaba en imponer unas medidas impopulares como la *poll tax*.

Éste es el motivo por el que a menudo es preciso cambiar de grupo directivo en las empresas, cuando cambia el mercado. El equipo dirigente, por más calificado y célebre que fuera, puede no percatarse de los peligros, ni de las oportunidades que entretanto han emergido. Es más fácil que repare en ellos alguien con menos experiencia, pero capaz de observar el mundo con ojos ingenuos y desencantados.

El entusiasmo

Existe un extraordinario recurso social e individual que habitualmente no tenemos en cuenta y que despilfarramos. Los griegos le tenían un gran respeto y lo consideraban una manifestación divina: el entusiasmo. El entusiasmo es energía, empuje y fe. Es una fuerza de tracción que tiende hacia lo que está en lo alto, hacia lo que tiene valor. Una potencia que impele a ir más allá de sí mismo.

En la vida social, política y religiosa, hay momentos creativos en los cuales, en el transcurso de pocos meses o de pocos años, se crean nuevas formaciones sociales que luego persisten en el tiempo, y pueden tener una enorme influencia en la historia. Pensemos en el nacimiento del budismo, del cristianismo, del islam o de los partidos socialistas. Sólo durante esos estados fluidos se pueden edificar nuevas estructuras políticas o religiosas. La gente se comporta como una masa de metal incandescente. Echada en un molde asume esa forma y la conserva. Los grandes constructores de imperios y de partidos han sabido aprovechar este momento mágico.

Lo mismo ocurre en nuestra vida individual. Hay períodos en los que nuestras capacidades se multiplican. Animados por una fuerza extraordinaria, los obstáculos no nos espantan, es más, nos refuerzan. Cuando estamos enamora-

19

dos, cuando descubrimos una nueva fe política o religiosa somos capaces de romper con el pasado, de abandonar nuestras costumbres y nuestras mezquindades. Podemos fundirnos con el otro, o los otros, recomenzar desde el principio. Es en esos momentos cuando debemos construir. Porque luego, acabado el entusiasmo, volvemos a ser perezosos, puntillosos y prudentes.

El entusiasmo es una cualidad de los jóvenes porque son capaces de creer y de arriesgarse. Porque precisan un ideal y una fe. Los adultos, y aún más los ancianos, a menudo están decepcionados y amargados. Son pocos los que conservan la capacidad de renacer y renovarse. Por eso, con su potencial de energía creativa los jóvenes son un recurso de la sociedad. Retrasar tanto su ingreso en el mundo laboral significa una pérdida para todos.

Pero el entusiasmo es un recurso inestable. Si no es asumido y cultivado, se desvanece. Y son muy pocos aquellos que saben mantenerlo vivo y alimentarlo. En efecto, para crear o incluso sólo conservar el entusiasmo en los demás, es preciso poseerlo. Debemos creer en lo que hacemos, en nuestra tarea, en nuestra misión. No se suscita entusiasmo calculando con el pesillo las ventajas y las desventajas.

Hace falta tener una meta, una fe. Es preciso tener confianza en los seres humanos. Y también hace falta rigor moral. Algunas personas saben suscitar entusiasmo con instrumentos demagógicos, histriónicos, en una asamblea, en una convención. Pero, al final se traicionan si no son íntimamente sinceros, si no tienen una verdadera fuerza moral, si no son portadores de valores. Se rodean de cortesanos hipócritas y construyen sobre la arena.

Por desgracia, en las escuelas, en las empresas y en las instituciones hay innumerables personas que no escatiman medios para apagar el entusiasmo y destruirlo. Personas que no tienen valores ni ideales, que sólo trabajan por el sueldo, la ganancia o el prestigio. Estos sujetos temen a los innovadores porque su empuje pone en crisis sus posiciones de poder. A menudo son tiránicos y quieren ser temidos por sus subordinados. Por eso hieren, humillan y mortifican a aquellos que son más vivaces, entusiastas y llenos de vida.

Luego están los cínicos y los funcionarios obtusos que ponen obstáculos por pereza. Por último, hay deshonestos y criminales que explotan a quien trabaja y crea algo. Éstos son los destructores de la riqueza humana y social.

La derrota

En la batalla antigua los ejércitos se enfrentaban formando bloques compactos. Cada soldado se entendía como una célula de un organismo colectivo invencible, y no sentía miedo. En un determinado momento del choque, una parte domina y la otra, de pronto, cede. Entonces se disuelve el vínculo colectivo que daba fuerza a los soldados, y cada uno huye presa del pánico. Ya no son una colectividad fuerte y unida. Son muchos individuos aislados, débiles e impotentes. Es el momento del «sálvese quien pueda» y de la masacre. El vencedor persigue a los vencidos en fuga y los mata, sin que puedan oponer resistencia. Por eso Von Clausewitz recomienda replegarse en perfecto orden, con continuos contraataques. Como el león que se retira dando dentelladas.

El efecto más peligroso de la derrota es la disgregación del grupo. Cuando no acaece en el momento de la derrota, la desbandada suele producirse a continuación. La gente no entiende de inmediato sus efectos. Piensa que todo continuará como antes. En cambio, después de la victoria, el vencedor comienza una obra sistemática de disgregación de la sociedad derrotada. Los vencidos, espantados, pierden la confianza en sí mismos, en sus instituciones, en su historia y en sus valores. Es de este modo que el vencido adopta los valores del vencedor.

El islam se expandió por medio de victorias militares, pero en los primeros tiempos nadie pensaba que la invasión destruiría las tradiciones culturales y las religiones, y finalmente las costumbres y los modos de vida precedentes. Persia y Egipto tenían una historia milenaria. La invasión islámica creó una ruptura social con el pasado. Donde llegaron los ejércitos del Profeta, las sociedades se transformaron radicalmente adoptando el estilo islámico. Hoy, después de mil quinientos años todavía siguen así. Lo mismo ha acaecido en Occidente con el cristianismo. Después del Edicto de Constantino, los cristianos comenzaron a destruir sistemáticamente el paganismo. Cerraron sus academias, transformaron sus templos en iglesias, sus dioses en demonios. Y luego, durante dos mil años, Europa ha seguido siendo cristiana. Los viejos dioses y los viejos cultos fueron condenados como aberraciones monstruosas y objeto de horror supersticioso.

Sólo en poquísimos casos el derrotado logra conservar su unidad, defender sus valores y sus costumbres, mantener viva la certeza de una redención. Lo han logrado los judíos con una resolución extraordinaria. Prisioneros de los egipcios, deportados a Babilonia, sufriendo la ocupación de los griegos y los romanos, masacrados y dispersados, han codificado todas sus costumbres, hasta en sus más mínimos detalles, les han dado el valor de ley sagrada, la Torá, y han continuado aplicándolas donde estuvieran, en Egipto o en España, en Rusia o en la India. Los judíos se han adaptado a todas las circunstancias políticas sin renunciar a su fe, a sus tradiciones, a sus costumbres y a su identidad. No sé de ningún otro pueblo que haya logrado hacer algo así.

Conscientes de las terribles consecuencias de la derrota, los pueblos se han batido siempre en guerras sangrientas. Las ciudades asediadas resistían hasta la muerte por hambre, pues la gente sabía que, tras la derrota, sería masacrada, torturada y esclavizada. Una análoga ferocidad se ha registrado también en las disputas políticas internas. En el imperio romano fueron poquísimos los emperadores que morían de muerte natural y, a menudo, llegaron al poder con guerras civiles seguidas de carnicerías. Lo mismo ocurría en los califatos islámicos.

Sólo recientemente fue inventada una fórmula política que no lleva a la destrucción del vencido: la democracia con alternancia. En ella hay dos formaciones políticas contrapuestas como dos ejércitos. Cuando una gana las elecciones, la derrotada, empero, no es perseguida y dispersada. Es más, en las verdaderas democracias, se la invita a permanecer unida, a redoblar su actividad y su vigilancia para constituirse en una oposición eficaz. La gente, en consecuencia, no lucha hasta la muerte empuñando las armas y, después de la derrota, no se rinde arrojándose a los pies del vencedor, sino que conserva sus certidumbres, su dignidad, y prepara la revancha en la siguiente campaña electoral. Un poco como acaece en los campeonatos deportivos, donde los hinchas siguen siendo fieles a su equipo tras la pérdida de un partido y tratan de llevarlo otra vez a la victoria. La democracia debe ser considerada uno de los pocos y auténticos progresos de la humanidad.

Resistir

El abatimiento es una tentación. La tentación de dejarse llevar, de ceder a la fatiga y al peligro, de rendirse. Pero vivir significa saber resistir al abatimiento provocado por las derrotas. Como en la competición deportiva, hasta el mejor equipo a veces pierde. Pero pobre de él si se abandona a la depresión generada por la derrota. Quien pierde debe utilizar la derrota para entender cómo reaccionar, para variar el esquema de acción, para crear, para encontrar otros caminos, para inventar nuevas estrategias. La competencia se funda del todo en este principio. El gran empresario, el gran general o los grandes líderes también cometen errores, también sufren derrotas, pero sacan provecho de ellos para aprender, y reaccionan haciendo innovaciones.

Si nos rendimos perdemos la libertad. La rendición puede ser dulce, pero sus consecuencias son terribles. Porque la libertad es el valor más alto. Nunca se nos regala la libertad. Siempre es una conquista. No se compra con dinero. Sólo se consigue con el entusiasmo, la tozudez, la pasión, la voluntad y la perseverancia. Basta un instante de debilidad para perderla definitivamente.

Deberían saberlo bien los ciudadanos de Italia que, a finales del siglo XV, era el país más poderoso y próspero del mundo y luego, en pocos años, fue conquistado por los franceses y los españoles. ¡Cómo hemos pagado la desconfianza en nosotros mismos, la idea de que todo se arreglaría, la mezquindad y el egoísmo del momento! Hicieron falta siglos para liberarnos. Mientras que entonces habría bastado muy poco: un acto de coraje. Lo mismo acaeció con los pueblos que no supieron oponerse al comunismo soviético y al nazismo. ¡Qué terribles consecuencias por la debilidad inicial, qué precio se ha pagado!

La libertad se pierde también en las pequeñas cosas. Podemos pensar en el estudiante al que dan una mala nota en la universidad, de modo que se deprime y deja los estudios, cuando, en cambio, debería reaccionar, tratar de entender dónde están las dificultades y qué esperaba el profesor. Así, la próxima vez, obtendrá un diez. Se convertirá en un profesional respetado y en una persona libre. Quien no sabe soportar un reproche o una derrota está destinado a agachar la cabeza. No son los demás los que te hacen esclavo, eres tú que te vuelves esclavo.

A veces cede y se rinde precisamente quien está habituado a ganar. Estoy pensando en los suicidios de empresarios como Gardini, al enterarse de que sería arrestado o en el cuicidio y de Cagliari en la cárcel. Pero también me viene a la memoria el caso de Cassius Clay quien, después de innumerables victorias, quedó tendido en la lona, con una mandíbula fracturada, por Frazer. Clay, sin embargo, se levanta, va a curarse la mandíbula y recupera el campeonato del mundo. Es en los momentos de derrota, en los que todo va mal, en los que nos sentimos engañados, en los que nos equivocamos, cuando se ve la talla moral del individuo.

He perdido. Pues bien, ahora me vuelvo a levantar, reúno mis pedazos y la próxima vez seré yo quien gane. Debo ser más fuerte que mi desdicha, más fuerte que las injusticias.

¿Por qué tenemos entonces la tentación de abandonarnos, de ceder, de rendirnos? Porque rendirse es fácil, es casi un alivio, un descanso. Mientras que volver a levantarse requiere apretar los dientes, resistir al dolor, a la fatiga y a la desesperación. Requiere esfuerzo, coraje, un ánimo intrépido y una gran capacidad de esperanza. Quien se doblega, quien huye, se justifica ante sí mismo diciendo: «No sirve de nada que combata, que me afane, porque, al fin y al cabo, el mundo es injusto, están los fuertes y los débiles, y los fuertes ganan siempre, mientras que yo estoy condenado a la derrota».

Sin embargo, eso no es cierto. También los otros tienen sus dificultades. También los otros son presa de la duda y del desconsuelo. Sólo que resisten, y por eso ganan. Las justificaciones de quien se rinde son sólo una manera de enmascarar los temores que lo mantienen prisionero. Se rinde de inmediato quien es avaro con su ánimo y no lo quiere gastar o quien tiene una inteligencia perezosa que no quiere volver a ponerlo todo en discusión para afrontar con coraje lo nuevo.

2

La fuerza de ánimo

No confundamos el coraje con la temeridad, con el amor imprudente por el riesgo, con el impulso superficial. El coraje es una virtud moral y social. Provistos de esta virtud ejercitamos nuestras capacidades más elevadas en situaciones difíciles, angustiosas para nosotros y los demás. Conservando la mente lúcida y el corazón firme, afrontamos las adversidades con fuerza de ánimo y sentido de responsabilidad.

Responsabilidad

¿Qué quiere decir tener una posición de responsabilidad? Significa saber que los resultados, buenos o malos, los éxitos o los fracasos, cualquier cosa que ocurra, cualquier problema que surja, no pueden ser imputados a otros o a causas externas, sino sólo a ti. Pensemos en el director técnico de un equipo de fútbol. Si su equipo pierde, no puede justificarse atribuyendo la culpa de la derrota a la falta de disciplina de los jugadores, a la mala suerte, a las pésimas condiciones del terreno o al árbitro. Lo que se espera de él es que sepa hacer frente a cualquier eventualidad, incluso a la más desastrosa e imprevisible. Lo mismo vale para el general que afronta una batalla, para el jefe de un partido en la campaña electoral o para un ejecutivo que defiende su empresa en la competencia económica.

Todas estas personas deben afrontar continuamente desafíos y riesgos. Se encuentran siempre ante la incertidumbre y el peligro. Nuestra responsabilidad, sin embargo, a menudo es limitada. Sobre todo cuando desarrollamos tareas rutinarias, en las que hay pocas novedades, poca invención.

Cuando vamos a la escuela, somos responsables de las notas que nos ponen, pero no de lo que aprendemos, porque esto depende también de la pericia de los profesores, de

31

las huelgas escolares y de nuestra salud. En el trabajo, quien dirige el departamento de publicidad no es responsable de los talleres o de las operaciones financieras. Sin embargo, cada uno de nosotros experimenta la ansiedad que deriva de la responsabilidad. Cuando debemos afrontar un examen o un certamen deportivo, cuando se nos confía una tarea difícil o cuando comenzamos un trabajo nuevo, nos cuesta dormir y nos despertamos temprano, obsesionados por un problema.

Pero la vida es siempre creación, innovación y riesgo. Para todos. Y por eso todos tenemos también responsabilidades globales. Quien quiere fundar una familia, llevar adelante una empresa, aunque sea pequeña, debe hacerse cargo de todas las eventualidades. Debe afrontar lo desconocido, la incertidumbre y la ansiedad. Algunas personas no son capaces de ello y evitan la responsabilidad. Muchos directivos, cuando son promovidos a posiciones más altas, reaccionan con desconfianza. Comienzan a mirar con recelo todas las iniciativas nuevas y cuando encuentran obstáculos se atrincheran detrás de los formalismos y la burocracia. De esta manera las organizaciones acaban burocratizándose para reducir la incertidumbre y el peligro.

Para afrontar la vida no basta con ser capaces, hábiles e inteligentes. También es preciso ser valerosos y tenaces, lograr controlar la propia ansiedad y la de los demás. Algunos lo consiguen bloqueando los propios sentimientos y pasiones. Permanecen fríos e imperturbables como jugadores de póquer. Muchos políticos son de este tipo. Pensemos en Andreotti, en Fini o en D'Alema. Pero también están los emotivos, los apasionados. Éstos deben ser optimistas.

No se puede ser empresario sin tener una notable carga de optimismo y de entusiasmo. El optimismo ayuda a ver las posibilidades donde los demás no ven nada, a imaginar soluciones positivas incluso en las crisis más graves. El verdadero empresario logra transformar un obstáculo en una ventaja. Por ejemplo, se aprovecha de él para cambiar de producto o de método de venta o bien para una nueva iniciativa. El entusiasmo le sirve para galvanizar a los propios colaboradores, para convencer a los financiadores, para ponerse de acuerdo con los adversarios y transformarlos en aliados. Para resistir al desconsuelo y arrastrar a todos hacia la meta.

Saber esperar

Hay momentos en nuestra vida en los que nos percatamos de que no podemos alcanzar los objetivos que nos habíamos propuesto, que hemos sufrido una derrota sin remedio. Eso puede pasarle a un chico extremadamente dotado, que aspira a convertirse en científico y no logra terminar los estudios porque mueren sus padres y se ve obligado a trabajar para ganarse la vida. Él se percata con infinita amargura que esa pérdida es irreparable porque en la ciencia, como en la música o en el deporte, sólo se entra de joven, en cambio más tarde no se tiene ninguna posibilidad.

Al empresario, después de haber construido durante toda la vida una gran empresa, puede pasarle que es arrollado por una imprevista crisis político-económica y aplastado por la entrada en el mercado de una multinacional. Al director de un periódico que ha llevado al éxito su diario, puede pasarle que, de pronto, el dueño lo vende y le sustituye otro propietario, que impone una línea editorial y política opuesta. Puede, en fin, sucederle a una mujer que lo ha invertido todo en el matrimonio, en la casa y en los hijos, que el marido se enamore de otra más joven y la abandone.

Hemos citado estos cuatro ejemplos, pero podríamos haber aportado miles porque todos conocemos estas experiencias. Estamos frente a lo irreparable, al descalabro definitivo. No hay nada que hacer. Es inútil combatir, es inútil luchar. No sólo sentimos dolor, sino un sentimiento de injusticia y de desconsuelo desgarradores. El futuro se vuelve vacío, tétrico y doloroso. El deseo de vivir, que está hecho de esperanza, se apaga. Nos hundimos en la depresión. Muchos piensan en el suicidio. Y algunos se matan de verdad. Como lo hizo Bruto cuando vio derrumbarse su designio y comprendió que había sido derrotado. Como lo hacen muchas mujeres y muchos hombres después de la pérdida de su amor. Como sucede a veces con los adolescentes después de una frustración, que a nosotros nos parece leve, como una mala nota en la escuela o una decepción amorosa.

¿Qué hacer cuando estamos frente a este descalabro total? ¿Qué podemos decir a quien lo experimenta? ¿Qué podemos decirnos a nosotros mismos el día en que debemos afrontarlo? ¿Cómo podemos encontrar esperanza cuando nuestra mente y nuestro corazón son aplastados por la desesperación?

Cualquier descalabro, cualquier pérdida, nunca afecta la totalidad de nuestro ser. Se trata siempre sólo de la derrota de un proyecto nuestro, de un amor, de un sueño o de una aspiración, pero, aunque no lo sepamos, somos siempre más que aquello que hemos elegido ser y amar.

El chico desesperado por la mala nota, una vez superada la crisis, redescubre la alegría de vivir al besar a una chica. El empresario que ha perdido su empresa, descubre en sí mismo intereses y capacidades que había pasado por alto. Incluso en las catástrofes más graves, desde lo más profundo del ser herido viene la respuesta de salvación. Lo que cura no es el tiempo, sino la caída misma que nos libera. Es extraño y terrible. En el fondo del abismo nuestro yo se disuelve y, al disolverse, se libera de la fascinación de las cosas a las que estaba enroscado, que le parecían indispensables, esenciales. Nos percatamos de que podemos existir de otras maneras. Así, la nada se convierte en la puerta para el renacimiento. Alguien encuentra en ella a Dios, otro la serenidad del distanciamiento y otro una nueva vocación. Alguien, en fin, sencillamente se percata de que puede hacer el bien a los demás.

El pacto con el diablo

¿Qué debemos hacer cuando comprendemos que no podemos realizar nuestro ideal? ¿Ponernos de acuerdo con el vencedor para tratar de reducir al mínimo el daño, ayudarle a realizar su proyecto a cambio de ventajas para nosotros y para evitar represalias contra nuestros colaboradores? ¿O bien es mejor rechazar el compromiso, sacrificando nuestras comodidades y las de nuestros allegados, para ser coherentes, cueste lo que cueste? El sentido común nos aconsejaría el primer camino porque, en la vida, no siempre se puede ganar y, después de todo, es preciso sobrevivir. Todos conocemos personas que, después de una derrota, han abrazado rápidamente la causa del vencedor, se han puesto de su parte y han obtenido ventajas tangibles.

Por contra, muchos de aquellos que han permanecido fieles al ideal han acabado llevando una vida miserable. Pensemos, por ejemplo, en el poeta italiano Ugo Foscolo: se había puesto con entusiasmo de parte de los franceses en nombre de los valores de libertad, igualdad, y fraternidad, defendiendo la independencia italiana. Decepcionado por el comportamiento de Napoleón, lo criticó y dejó Milán. Por eso, los austríacos, de vuelta a Milán, le ofrecieron de nuevo su cátedra de Pavía y la dirección de una revista.

Pero Foscolo no estaba dispuesto a aceptar al gobierno austríaco. Partió enseguida hacia Inglaterra, donde vivía en un exilio voluntario, como desconocido y en la más extrema miseria, hasta su muerte, acaecida con sólo cuarenta y nueve años.

Una elección desastrosa en el plano humano. Si se hubiera quedado en Pavía habría recibido honores y habría podido trabajar igualmente por la unidad nacional.

Sin embargo, dicho esto, no podemos dejar de percibir, detrás de su elección, una profunda razón moral. Si hubiera permanecido habría justificado la ocupación extranjera. Habría llegado a un compromiso no sólo con los austríacos, sino consigo mismo.

Y, de compromiso en compromiso, se puede ir muy lejos. Recordemos el caso de Pétain. Pétain era un gran general, el vencedor de la Primera Guerra Mundial. Después de la derrota de Francia por parte de los alemanes en 1940, es llamado a ocupar el cargo de presidente del Consejo de ministros. Acepta, firma el armisticio y busca un acuerdo con los vencedores para evitar daños mayores. En poco tiempo, empero, se convierte en un fantoche en las manos de Hitler, lo mismo que le sucede a Mussolini, cuando adopta las leyes raciales, o cuando crea la República de Saló.

Pero dejemos de lado a los grandes personajes y los ejemplos históricos para volver a nuestra vida cotidiana. A este tipo de elección la llamo «el pacto con el diablo». Exactamente como el pacto de Fausto que, a cambio de la juventud, promete su alma. Sólo que a nosotros no se nos presenta un diablo para cobrarse nuestra alma en el momento de morir.

Hoy perder la propia alma significa perder la propia claridad, la propia dignidad y la propia libertad. Nosotros perdemos nuestra alma cuando, por miedo, o por codicia de dinero y de poder, renunciamos a nuestros sueños y a nuestros ideales. Cuando elegimos un camino del que ya no tendremos el coraje de volver atrás y nos veremos obligados a aceptar, uno tras otro, cualquier compromiso y cualquier humillación.

A decir cualquier mentira. Hasta ya no saber cuán bajo hemos caído. Hasta ya no saber quienes somos.

Soledad

El proceso creativo está constituido por dos fases opuestas. Una de apertura, en la que dudamos de todo, lo absorbemos todo y lo asimilamos todo. Somos como una casa sin puertas ni ventanas en la que entra libremente el viento. En la segunda fase, en cambio, las puertas y las ventanas están cerradas y debemos dar salida a una energía profunda que está dentro de nosotros.

El aprendizaje es apertura. Si queremos entender un nuevo país, no debemos quedarnos siempre en compañía de nuestros paisanos. No debemos criticar y rechazar todo aquello que es diferente y extraño, sino dejarnos penetrar, impregnar por la diferencia, incluso cuando la sentimos de manera casi ofensiva y dolorosa. Lo mismo sucede cuando comenzamos a estudiar una lengua nueva. Es inútil buscar comparaciones con las palabras que ya conocemos o usar unicamente las expresiones más similares a las nuestras. Debemos abandonarnos totalmente, zambullirnos en la nueva lengua. En efecto, se habla de *full immersion*.

En el ejército, la finalidad de la instrucción militar, con sus pruebas duras y humillantes, es precisamente abatir la personalidad anterior. Y el mismo significado tienen las «novatadas», las persecuciones a las que los veteranos someten al recluta. Se trata de barrer el pasado para dejar espacio a lo nuevo. Incluso cuando comenzamos una nueva investigación científica debemos poner en duda todas nuestras teorías y nuestras convicciones anteriores. Conviene partir del presupuesto de que hasta ahora nos hemos equivocado. Buscar no la confirmación de nuestras ideas, sino aquello que las contradice y desmiente.

Pero, cuando nuestra mente se dispone a crear algo nuevo, en un momento dado comienza a cerrarse. Se concentra en un problema, da vueltas a su alrededor de manera continua y obsesiva. Mientras que antes estábamos ávidos de estímulos, ahora estamos en busca de informaciones útiles. Es como si nos encontrásemos frente a un rompecabezas. Examinamos los fragmentos sólo para descubrir el dibujo general y seleccionamos aquellos que encajan en el sitio justo, mientras que los otros los dejamos aparte.

Hasta que llega el momento en que debemos cerrar las puertas exteriores para abrir las puertas interiores que dan acceso a la misteriosa energía que tenemos dentro de nosotros. El mundo exterior ya nada puede ofrecernos. Tampoco los libros. También en la escuela, después del período de estudio sigue el del examen. El estudiante está solo. Es, para todos, el momento de la soledad, del retiro del mundo. Los novelistas, los músicos, los científicos y los filósofos se encierran en una habitación, o trabajan de noche cuando nadie los molesta. Otros buscan refugio en el campo, en un sitio solitario. Tienen horror a las polémicas, a los congresos, a las conversaciones frívolas y a las exhibiciones.

Entonces, cuando hemos creado el silencio y el vacío, a nuestra mente se le revela el camino. Lo entrevemos, lo perdemos y lo volvemos a encontrar. Sólo es preciso saber escuchar a la misteriosa voz interior que nos dice si es correcto el paso que hemos dado. En los antiguos esta impresión era tan fuerte que invocaban la inspiración de un dios o de las musas. Dante se hace conducir por Virgilio. Pero también en nuestra época, incluso la persona más desencantada tiene la impresión de no ser ella la que busca, piensa y encuentra, sino que los pensamientos se piensan solos. Cree que aquello que consigue no lo ha construido ella, sino que le ha sido desvelado como un don. El creador es el primer sorprendido con su hallazgo y su obra.

El perdón

La civilización cristiana nos ha enseñado que debemos perdonar porque el perdón es superior a la venganza. Que no debemos hacer sufrir a nadie, ni siquiera a los peores delincuentes. Sin embargo, hay acciones que no me siento en condiciones de perdonar. Puedo comprenderlas o justificarlas históricamente. Puedo entender que aquellos que las cometían no se daban cuenta de la monstruosidad que estaban haciendo. Pero aun así no las puedo perdonar.

No puedo perdonar a los conquistadores asirios, que cortaban las manos y los pies a los habitantes de las ciudades conquistadas. No puedo perdonar a los mongoles de Tamerlán, que decapitaban a los vencidos y erigían pirámides con sus cráneos. No puedo perdonar a los inquisidores, que torturaban y quemaban a los herejes y las brujas. No puedo perdonar a los comunistas rusos que, en sus procesos políticos, torturaban a los prisioneros para hacerles confesar delitos nunca cometidos. No puedo perdonar a los nazis que querían matar a todos los judíos y aniquilar a todo un pueblo.

No puedo perdonarlos por el mismo motivo por el que no puedo perdonarme a mí mismo. En efecto, hay acciones que no me perdono. Puedo encontrar explicaciones o justificaciones para mi comportamiento. Puedo decirme que no reparaba en que hacía daño. Puedo decirme que no tenía alternativa. Sin embargo, estos razonamientos no modifican la esencia moral de mi actuación. He hecho sufrir a un inocente, soy culpable. Y así sigo teniendo el mismo sentimiento de culpabilidad y de remordimiento.

Muchos estiman que el remordimiento es malo, una experiencia neurótica. Yo pienso, en cambio, que es una experiencia positiva y que constituye el corazón mismo de la conciencia moral. En efecto, cuando consumamos el mal, solemos pensar que tenemos razón. Sobre todo cuando nos mueve una pasión religiosa o política, o bien el amor. Sólo después, con los remordimientos somos conscientes del mal.

Verga, en su relato *Libertad*, narra cómo en Bronte, los campesinos, emborrachados de las ideas revolucionarias llegadas a Sicilia con los garibaldinos, se arrojan sobre los nobles y los notables del pueblo, masacrándolos. Al día siguiente están asombrados de lo que han cometido.

También los croatas y los serbios que, en la última guerra civil, han violado a las mujeres de sus enemigos, deben de haber sentido una misma ebriedad de muerte y de venganza. ¡Es tan fácil el mal! Basta dejarse llevar, sin límites, sin frenos, pensando que se está en lo justo.

Los militares, los jueces y los inquisidores siempre se han considerado por encima del remordimiento, porque están convencidos de que han cumplido con su deber, obedeciendo unas órdenes y aplicando la ley. Los peores crímenes de la historia se han cometido en nombre del deber, de la ley y de los ideales. Así han escapado a la llamada elemental de la conciencia moral que nos dice que no inflinjamos daño a los demás. Me viene a la memoria aquel episodio de la película *La chaqueta metálica*, de Kubrick, cuando la patrulla es diezmada por un francotirador. El comandante lo descubre en una casa incendiada y, finalmente, lo hiere. Entonces se percata de que el francotirador es una joven, que le suplica que la mate. Él siente piedad. Sin embargo, ella ha matado a sus amigos y él sólo ha cumplido con su deber.

El remordimiento es la voz de la moral más auténtica. No es sólo un sentimiento. Es un saber. En efecto, nos revela que, para vivir, estamos condenados a la maldad. Que la existencia es trágica. Pero el ser un hecho trágico no quita al mal su carácter de mal, y no nos absuelve moralmente.

Por eso algunas cosas no se pueden perdonar. Pero, si el mal es trágico, como la pena, también el castigo es sólo una trágica necesidad, que debería ser reducida al mínimo y de la que nadie debería ni disfrutar, ni vanagloriarse. En las personas que reclaman venganza y que gritan «¡que muera!», entreveo siempre el rostro del asesino al que condenan. Me dan tanto miedo como él.

Construir

En la vida, cada uno de nosotros se encuentra en una doble posición. La del constructor que, con sus fuerzas, crea algo que antes no existía. Por ejemplo, la propia casa, la propia empresa, una nueva universidad, una organización benéfica, un nuevo partido político o bien otras filiales de la empresa para la que trabaja, un nuevo producto, laboratorios de investigación, nuevas secciones del partido. Al mismo tiempo, empero, también somos usuarios. Vivimos y trabajamos en formaciones sociales realizadas por otros, que encontramos ya establecidas. El niño es criado en una casa que ha sido levantada por sus padres. Luego estudia en una escuela, trabaja en una empresa y vota por un partido político, pensados y organizados por otros que la precedieron.

Las instituciones que ya existen nos parecen naturales como las colinas y las montañas. Las vemos desde el exterior, como oportunidades, recursos de los que podemos beneficiarnos. Las apreciamos si nos sirven, mientras que nos quejamos cuando no funcionan como querríamos o nos ponen obstáculos. Ya no conseguimos ver a los hombres que las han construido y la enorme cantidad de inteligencia, de voluntad y de sacrificio invertidos. Por ejemplo, nos quejamos del funcionamiento de los ferrocarriles, pero no pensamos ni por un instante en el inmenso trabajo, en los innumerables problemas y en los esfuerzos que han sido necesarios para inventar las locomotoras, excavar centenares de kilómetros de túneles, electrificar el recorrido y edificar miles de estaciones.

Sólo nos damos cuenta cuando los creadores, los artífices somos nosotros. Entonces comprendemos que para realizar incluso la acción más modesta se precisa coraje, energía y voluntad. Se precisa un esfuerzo psíquico y físico. Un asunto es soñar con tener una casa y otro es pedir un préstamo, trabajar para pagarlo y ahorrar renunciando a la compra de ropa, al restaurante y a las vacaciones. Un asunto es soñar con abrir un comercio o fundar una empresa, y otro tener las ideas correctas, conseguir las financiaciones, obtener las licencias y resolver los continuos problemas humanos, legales y financieros. Siempre con sobresaltos porque, cada día, las cosas pueden ir mal. Son pocos los que tienen la capacidad y la tenacidad para conseguirlo.

Y las dificultades crecen cuando el constructor se propone una tarea grande é innovadora. Los que lo rodean piensan en sus problemas. Se acercan y miran, pero muy pocos están dispuestos a comprometerse. Por eso él debe desplegar una energía desmesurada, ir en busca de quien pueda colaborar y convencerlo con su entusiasmo. Pero de inmediato llueve críticas, surgen obstáculos y envidias. Y, cuando comienza a tener éxito, aparecen los enemigos. Cuando nos fijamos en la vida de los grandes constructores de instituciones benéficas, desde san Juan Bosco a Vincenzo Muccioli, nos impresionan las dificultades que tuvieron que superar y la ferocidad de sus adversarios.

Sin embargo, en un momento dado, se obtiene el resultado, se crea la institución.

Entonces, de repente, lo que era el producto del esfuerzo humano, sangre, carne, sudor, fatiga y noches insomnes, se objetiva, se convierte en algo. Se convierte en una fábrica o en un hospital, en un objeto material como las colinas y las montañas, que se pueden ocupar, conquistar y utilizar. Los que hasta aquel momento habían atacado la obra, se lanzan a trabajar en ella, junto con sus amigos. Se acomodan, organizan en ella su existencia, hacen carrera. No quieren en absoluto que se los fastidie con la idea de que le deben algo a alguien. El creador es olvidado, el pasado ha pasado.

3

Las virtudes de la acción

El coraje no es un acto aislado, un impulso momentáneo. Es una acción completa y compleja, que debe ser perseguida hasta su objetivo final. Los mayores esfuerzos no son los del inicio, sino los que se necesitan a continuación, para resistir a nuestras debilidades y a los obstáculos imprevistos que debemos afrontar con paciencia y sagacidad. El coraje no es sólo la virtud del comienzo, sino de la prosecución, del acabamiento y de la clarividencia.

Estar listos para combatir

Quien alcanza una posición de poder, piensa que es amado por quienes lo rodean. El alcalde recién elegido piensa: «Si me han elegido quiere decir que me aprecian, que tienen confianza en mí». El administrador delegado se complace con el aplauso que lo acoge en la primera asamblea y con la solicitud con que se ponen a su disposición todos los directivos. Sin embargo, bastaría un instante de reflexión: «¿Si en mi lugar hubiera sido elegido o nombrado otro, éstos se comportarían de otra manera? No. Por tanto, no es a mí a quien homenajean, sino a mi cargo».

Las cosas son algo diversas en los movimientos políticos, porque el jefe carismático aparece como un ser superior, y muchos lo aman sinceramente. Pero también en el grupo de seguidores que colaboran cotidianamente con él, hay personas que lo envidian, otras que anhelan su puesto y, por último, están los aprovechados, que esperan obtener espléndidos beneficios. Éste es el motivo por el que, en los movimientos, el jefe se rodea de los más fieles y se desembaraza de todos aquellos que suscitan en él la más mínima sospecha.

En las empresas privadas el jefe tiene la posibilidad de sustituir por lo menos a sus colaboradores más estrechos y, por tanto, de desembarazarse de aquellos que abiertamente le ponen obstáculos y de los que intrigan en la sombra para hacerle daño. En política y en las empresas públicas, en cambio, ni siquiera tiene esa posibilidad. Por eso se ve obligado a trabajar con personas hostiles, envidiosas y, a menudo, habituadas a ocuparse de sus asuntos sin ser molestadas. Para crear con este material humano un grupo capaz de trabajar en equipo con una meta, por un ideal, es menester una fe grandísima y una energía desmesurada. Debe encontrar a alguien que comparta sus mismas metas y que esté dispuesto a luchar a su lado con entusiasmo.

Pero incluso en los grupos más eficientes y bien avenidos el jefe debe neutralizar las envidias, los obstáculos y los desaires que surgen continuamente. Y nunca debe olvidar hacer entender a sus subordinados que pueden obtener una ventaja personal. Desempeña por consiguiente, una doble función: pedagógica en tanto señala la meta y los valores y demagógica en tanto apela a los intereses personales. Esta doble tarea comporta siempre un cierto grado de hipocresía. Por ejemplo, debe fingir no enterarse de que quien se declara su amigo, en realidad, lo envidia a muerte, y debe colaborar con personas que pasan su tiempo tejiendo intrigas y asechanzas en su contra.

Éste es el motivo por el que las personas que tienen responsabilidades a menudo están amargadas. Eso le pasa al profesor hostigado por su director, por sus colegas y por sus alumnos, al directivo obstaculizado por sus superiores y sus subordinados. Hay una amarga verdad que todos debemos recordar. Cualquier empresa, incluso la más noble, útil y desinteresada, suscita siempre envidia, rencores, hostilidad y odio. Por eso, quien se arroja a la acción debe prepararse para combatir contra los enemigos más imprevisibles y desleales. Y si no quiere ceder a la amargura y al cinismo, debe armarse de una fe ardiente, de un entusiasmo inextinguible. Incluso a costa de parecer, a veces, un Don Quijote soñador. En efecto, el entusiasmo y la fe son las únicas armas capaces de resistir a la desilusión, al desengaño, al escarnio y a la traición.

Prepararse

Cada vez que damos inicio a una nueva empresa tomamos un camino lleno de insidias. Podemos prepararnos cuidadosamente, prever todas las alternativas, pero nunca podremos evitar tropezar con obstáculos imprevistos, enemigos inesperados, traiciones y desconocidos salvadores. Para conseguirlo, para alcanzar la meta, se precisan diversas cualidades y virtudes.

La primera, quizá la más importante, es la determinación, la firmeza de los propósitos, la fuerza de ánimo. Nuestros sentimientos son insconstantes, nuestro humor cambia con facilidad. Una mañana nos despertamos contentos, otra inseguros. Un éxito nos vuelve eufóricos, un contratiempo nos deprime. La persona de acción debe ser capaz de controlar todas estas dudas, estas oscilaciones. Nunca, absolutamente nunca, debe dejarse vencer por el desaliento. Debe imaginar todas las posibles dificultades, acaso exagerándolas. Pero luego tiene la obligación de hacer consigo misma el pacto de no ceder al miedo, de concentrarse sólo en el modo de superarlo.

Una segunda cualidad indispensable es tener siempre presente que la empresa no es nunca un hecho individual, sino un ser vivo colectivo. Nosotros estamos integrados en una red de relaciones de trabajo, profesionales, familiares y de amis-

51

tad. Con la nueva empresa involucramos a todas estas personas perturbando sus programas, generando en ellas nuevas expectativas y nuevas aspiraciones. La gente teme las novedades, lo desconocido.

La persona de acción debe ser capaz de resistir a las dudas, a los miedos y a veces al derrotismo de quienes la rodean y de aquellos a los que solicita ayuda y colaboración. Siempre hay alguien que le aconseja, por su bien, que renuncie o, por lo menos, que aplace su proyecto. Así deberá defenderse no sólo de los enemigos reales, sino también de los amigos indecisos. Y, puesto que precisa de ellos, debe examinar sus objeciones, demostrar con el frío razonamiento que son infundadas y luego reconfortarlos, alentarlos y arrastrarlos con su empuje vital. La persona de acción es siempre un líder.

El tercer factor, que a primera vista parece en contradicción con los dos primeros, es la ductilidad y la flexibilidad. Lo que cuenta es tener clara la meta final, los valores de fondo. Pero los medios a usar y el camino a seguir deben ser rápidamente cambiados a medida que se conoce la realidad. Si los costes son demasiado altos, se reducen los gastos. Si hay obstáculos legales, se modifican las fórmulas. Si ya no se puede hacerlo solo, se buscan socios o aliados. Si no se pueden alcanzar todos los objetivos, se buscan otras oportunidades. También hay que ser flexible con los colaboradores. No todos los que participan en la creación de una empresa son adecuados para alcanzar la meta. La persona de acción debe estar dispuesta a dejarlos y a asociarse con nuevos colaboradores, que va encontrando a lo largo de la vía.

La cuarta cualidad es la capacidad de entender a los seres humanos. La persona de acción debe descubrir las verdaderas capacidades, las verdaderas potencialidades de las personas con las que colabora, sus defectos y limitaciones. Debe intuir si uno es inteligente o sólo brillante, si otro es un genio o un fanfarrón. Debe entender quién es un gran trabajador honesto, fiel y leal, y quién, en cambio, es sólo un hábil embustero. Y debe tener el coraje de elegir a las personas de las que se puede fiar, aquellas que no abandonan, no traicionan en los momentos de peligro y desventura. Muchos se dejan engañar por las apariencias, por las hermosas palabras, y, así, acaban rodeándose de aventureros sin escrúpulos, de chapuceros presuntuosos y de aprovechados codiciosos. Éstos, inevitablemente, se percatarán de que han construido sobre la arena.

Colaboradores

Hay personas que eligen siempre unos excelentes colaboradores y se rodean de amigos sinceros y generosos. A menudo también aciertan al elegir a su marido o su mujer. Otras, en cambio, eligen mal a los unos y a los otros. Así, se encuentran siempre con colaboradores perezosos y codiciosos, que les crean problemas en vez de resolverlos. Tienen amigos que les hacen interpretar papeles desagradables y de los que no se pueden fiar. Contraen matrimonio con la persona menos adecuada. No es una cuestión de inteligencia pura y abstracta. Hay genios en el campo del arte y de la ciencia que en las relaciones humanas son una calamidad. Las personas que saben elegir poseen un tipo particular de inteligencia que podemos llamar social y emocional. Es una particular capacidad de observar a los seres humanos y de descartar con lucidez y seguridad a los que no convienen.

En varias ocasiones he escrito sobre la capacidad de percibir los sentimientos y las actitudes de los demás que todos tenemos. Se manifiesta en el hecho de que, a menudo, la primera impresión es la más acertada. Porque, cuando no sabemos nada de una persona, somos como una cámara fotográfica que registra objetivamente su comportamiento. Con el paso del tiempo en cambio, el otro tiene el tiempo de entender nuestros deseos, nuestros puntos débiles y procura que sólo veamos lo que deseamos ver. Mientras que nosotros, con el trato, nos habituamos a sus defectos y encontramos la manera de disculparlos. La razón, lo sabemos, puede demostrar y justificar cualquier cosa.

Las personas que saben elegir retienen las primeras impresiones y las recuerdan. Si el otro, durante el primer encuentro, es vacilante y pesimista, elogia el pasado y desprecia el presente, de ello deducen que no tiene iniciativa y sólo pondrá obstáculos. Si da la mano de manera huidiza es falaz. Si es eufórico y cordial, pero habla mucho de sí mismo, es un ambicioso. Observan cómo se sienta, cómo come y cómo responde a las preguntas imprevistas. En los siguientes encuentros son amables y contemporizadores, de manera que el otro abandone sus defensas para que ellos lo puedan observar de soslayo con la máxima atención. De esta manera acumulan conocimientos y verifican las impresiones recibidas. Por último, descartan sin escrúpulos a aquellos que no actúan de acuerdo con las propias exigencias, la propia manera de sentir, y sólo se ocupan de los demás.

Las personas propensas a la elección equivocada, por el contrario no se fían de la intuición. Escuchan aquello que el otro dice de sí mismo y se dejan conducir por él. Lo siguen mientras habla de su vida, de sus capacidades, realizaciones, proyectos y sufrimientos. Participan en sus problemas. Pero no se debe pensar que lo hacen sólo porque son generosos. De costumbre, lo hacen porque quieren representar un buen papel. En vez de juzgar al otro objetivamente, quieren dejarle una impresión agradable de sí mismos, mostrar el propio poder y las propias virtudes. Así, acaban premiando a los más codiciosos, a aquellos que piden con más insistencia.

También hay quien se equivoca porque precisa sentirse amado. Acoge a todos los que dan vueltas a su alrededor, obsecuentes. Otros, en cambio, cometen errores porque quieren demostrarse a sí mismos que no tienen prejuicios. Cuando conocen a una persona agresiva, que los trata mal, les agrada demostrar que son comprensivos y tolerantes, y así, llevan a su casa a alguien violento. En resumen, podemos juzgar que el defecto común a todos aquellos que eligen mal es la vanidad, mientras que la virtud común a todos aquellos que saben elegir es la vigilancia.

Señalar el fin

La realización de una empresa depende siempre de la aportación y del consenso de muchas personas. Y a menudo fracasa porque éstas no convergen para alcanzar la meta, sino que se dividen. Y se dividen no sólo en cuanto al camino a seguir, sino, sobre todo, con respecto a la meta misma a alcanzar. Pongamos un ejemplo. Algunos socios crean una empresa, pero en realidad tienen deseos y fines divergentes. Después de los primeros éxitos uno de ellos se conforma con lo alcanzado, quiere recoger las ganancias. Otros apuntan más alto y las reinvierten. Pero, después de algún tiempo, tal vez la empresa debe afrontar una crisis. Y he aquí que alguno se espanta y se retira. Otras divisiones sobrevienen cuando se discute si hay que cambiar la red de ventas, o bien si conviene modificar el producto de acuerdo con las exigencias del mercado. Parece que se trata de divergencias sobre los medios, pero en realidad son divergencias acerca de los fines.

También en el interior de las organizaciones surgen muchas divergencias. Cuando esto ocurre, la organización se vuelve rígida, burocrática e ineficiente. Cada sección se preocupa por aumentar su propio radio de acción, cada funcionario trabaja para acrecentar su poder personal, multiplicando los trámites, las prohibiciones, las reglas inútiles y fatigosas.

Cuando estudiamos las grandes organizaciones vemos que la gente que trabaja en ellas a menudo ha perdido completamente de vista el fin para el que han sido constituidas. Cada uno sólo hace valer el interés de su clase, de su grupo. ¿Por qué la universidad es tan ineficiente? Porque los profesores se han preocupado esencialmente de ampliar las cátedras de su especialidad, de darles un puesto a sus discípulos sin pensar en las necesidades reales de los estudiantes. ¿Por qué los ferrocarriles son tan ineficientes? Porque los políticos responsables de su funcionamiento han buscado el consenso de los trabajadores sindicalizados, que sólo se preocuparon por aumentar los puestos de trabajo. Todo el dinero se ha ido gastando en salarios y sueldos sin destinar nada a la renovación y el mantenimiento de la red.

Por este motivo, en un momento dado, se siente la necesidad «del hombre fuerte», de un jefe que sepa imponer un único punto de vista. Un jefe que exija a todos una obediencia ciega, rápida y absoluta. Si esto se produce en un primer momento, el método tiene éxito. Todos corren, acaban con las discusiones, los retrasos y las ineficiencias. Pero, después de algún tiempo, uno se percata de que la empresa ha perdido vitalidad y energía. El personal trabaja de manera mediocre. No da nada de sí; no resuelve los problemas y más bien los deja pudrirse. Carece de entusiasmo, y ya no consigue encontrar soluciones creativas. Se ha tornado improductivo.

Esto ocurre porque el jefe no ha entendido bien su papel. Su función no es imponer su voluntad, dar órdenes minuciosas, o sembrar el terror. Es, ante todo, el guardián de la meta, aquel que señala a todos dónde se debe ir. Debe transmitir, a cualquier nivel de la organización, el sentido de la misión, el significado de la tarea. Y, para hacerlo, debe creer profundamente en sí mismo. Nadie convence a los demás si no está convencido: debe incitar a sus colaboradores a aprovechar todas sus energías y toda su inteligencia para encontrar, en su campo y en su trabajo específico, los medios más idóneos para alcanzar la meta común. Es decir, para convertirse, a su vez, en verdaderos jefes.

Renovarse y renovar

A menudo nos olvidamos de que las cosas que nos rodean han nacido de actos de voluntad. Un día decidimos tener nuestra propia casa. Examinamos los anuncios de los periódicos, discutimos y elegimos. Luego la amueblamos. Así, creamos nuestro mundo en el que vamos a vivir y en el que nos reencontramos. Más adelante ya no lo renovamos. Es cierto que hemos ido haciendo algún pequeño retoque, como pintar las paredes o cambiar un sillón gastado. Pero, en general, nos adormecemos en la costumbre. Así, poco a poco, nuestra casa, sus muros y sus muebles se han convertido en parte del paisaje, como la colina que vemos por la ventana.

Durante mucho tiempo seguimos pensando que la casa se mantiene siempre nueva. Es extraño pero cierto. Cuando las cosas cambian lentamente no nos percatamos de su transformación. Luego, un día, con zozobra, descubrimos que la instalación de la calefacción se ha convertido en chatarra, que hay que arreglar el tejado y que el mobiliario está en pésimas condiciones. Y encima no habíamos pensado en ahorrar el dinero que ahora precisamos.

Muchos se comportan del mismo modo también en la propia empresa o en la organización que dirigen. Querrían que continuara adelante con los mismos productos, los mismos métodos y el mismo personal, es decir, como al principio. En cambio, las cosas siguen existiendo sólo si son renovadas. Permanecer en el mercado quiere decir interrogarse a menudo sobre la eficacia del producto, los métodos de producción, la distribución, los directivos y nosotros mismos.

Un proceso análogo se registra en la adeministración pública, en el sistema legislativo o en la política. Estamos inmersos en miles de leyes interrelacionadas, olvidadas, recuperadas y modificadas que constituyen un enredo inextricable de legitimidades, hábitos y privilegios, que evoluciona lentamente como un magma volcánico. Una sociedad, cualquier sociedad, funciona porque el noventa por ciento de las cosas siempre se han hecho del mismo modo y todos siguen repitiéndolas. Mientras que las instituciones envejecen y se hacen rígidas, nuevas fuerzas apremian desde las profundidades para desquiciarlas. Así, el cambio llega imprevisto, inesperado y traumático.

Pensemos en Italia. En la sociedad se habían producido profundas mutaciones, pero los políticos y los empresarios no se habían percatado de ello. Así, en 1992, un grupo de magistrados comenzó a aplicar la ley sobre la financiación pública de los partidos. La ley existía, pero era ignorada. Las personas arrestadas protestaban: «Pero ¿por qué? –decían–, siempre se ha hecho así, todos lo hacen». Y era completamente cierto, lo hacían todos y nadie había sido jamás castigado. Pero había surgido un nuevo poder, con sus propias metas y objetivos, dispuesto a revocar, sin dudarlo, la tradición. Que el gobierno Prodi es un nuevo poder, se ve por la capacidad de anular, mediante decreto, los derechos adquiridos de los comerciantes, de suprimir el cobro del impuesto de circulación a cargo del Automóvil Club y de imponer la reforma de la escuela y del catastro.

La historia nos enseña que, para cambiar de ruta suele ser necesaria una sacudida y la llegada de un nuevo grupo dirigente. En política con la revolución o con las elecciones, en las empresas con el nombramiento de un nuevo director, con la venta o mediante la fusión con otra empresa. Los recién llegados no tienen vínculos con el pasado y no dudan en destruir para reconstruir. Es muchísimo más difícil hacerlo uno mismo, renovándose y renovando lo que le rodea. Para conseguirlo debemos aprender a actuar como los empresarios de genio que saben arrojarse a pecho descubierto en una empresa, sin perder nunca el sentido crítico. Debemos aprender de los que son capaces de una creación continua.

Las personas indispensables

Es preciso estar atentos para no perder a las personas valiosas, porque, a veces, no son sustituibles. Todos los seres humanos son capaces de aprender. El hijo de cualquier tosco campesino, educado por excelentes maestros y licenciado en una gran universidad, puede convertirse en un excelente médico, en un experimentado ingeniero o en un buen periodista. Una buena academia puede convertir a alguien en un gran pintor. De un excelente conservatorio puede surgir un músico de talento. Todos sabemos que podemos ser más de lo que somos. Por eso somos ambiciosos. Por eso, en ocasiones, estamos tristes porque nos damos cuenta de que la vida ha sido avara con nosotros.

A menudo, por el mismo motivo, nos cuesta admitir que alguien esté verdaderamente más dotado, que posea cualidades y capacidades superiores a las nuestras. Nos cuesta admitir que una mezcla misteriosa de factores genéticos, de educación y de estímulos ambientales, pueda producir individuos en condiciones de hacer cosas que nosotros nunca podríamos ni siquiera imaginar.

Recuerdo una vieja sirivienta que al mirar los cuadros de los mayores artistas contemporáneos, de Van Gogh a Chagall, Modigliani o Picasso, decía que también ella habría sido capaz de hacerlos. En todo caso que su hija pintaba mucho mejor.

En la universidad, cada tanto aparece un estudioso de genio que no sólo es más experto, más brillante y más hábil que los otros, sino que tiene un poder de penetración mayor y misterioso. Como Pasteur, que intuye que las infecciones son provocadas por microorganismos invisibles. Pues bien, en estos casos, los colegas primero se ríen sarcásticamente y luego, cuando el descubrimiento es reconocido por todos, se convencen de que también ellos habrían podido hacerlo. Empero, no es así. Nunca habrían podido llegar a él, porque sus mentes seguían los caminos trillados, en cambio la otra hacía lo contrario, luchaba contra lo imposible.

También en las organizaciones, a menudo los colaboradores de un gran empresario están convencidos de que sabrían hacerlo mejor que él. No es verdad. Cuando él muere, la industria empieza a tambalearse y quiebra. Hay miles de casos de este tipo. Porque el creador del imperio tenía dotes que ellos no tienen. Sabía ver las oportundiades, escrutar en los ánimos, convencer a los dudosos e intuir las asechanzas. Sabía ser humilde, sabía aprender, escuchar y luego decidir de manera fulminante e imprevisible. Captaba las misteriosas tendencias colectivas y las señales ambiguas del futuro. Ellos, no.

Incluso en los movimientos políticos, los lugartenientes del jefe carismático están a menudo convencidos de que son como él, de que tienen las mismas capacidades, y piensan que pueden sustituirlo. A veces conspiran para derrocarlo. En cambio, ninguno puede sustituir al jefe que ha creado el movimiento. Sin él, todo se descompone y ellos se percatan de que ya no son nada.

Se dice que nadie es indispensable. Es verdad, todos podemos ser sustituidos. Es algo relacionado con la naturaleza misma de la vida, en la que la mutación se produce porque los individuos mueren. Todo avanza por igual. Pero en aquel caso concreto, para aquella particular familia, ciudad o nación, ¡qué desastre, qué catástrofe puede provocar la muerte de uno solo!

Muerto Alejandro Magno, su imperio se hizo añicos. Muerto Lorenzo el Magnífico, comenzó la ruina de Italia.

Pero, para el caso, no hace falta pensar sólo en los grandes ejemplos históricos. También en nuestra vida cotidiana hay personas de las que depende la serenidad de nuestra familia, la prosperidad de nuestra organización o la calidad de nuestra vida. Sin embargo, no queremos admitirlo. No nos damos cuenta del trabajo psicológico, de los prodigios de equilibrio y diplomacia que hacen por nosotros.

El mérito

Cada viaje a los países donde ha existido el socialismo real, me recuerda cuan devastador es imponer una ideología abstracta sobre la vida real. Porque la vida es infinitamente compleja y toda abstracción, incluso la más noble, la mata.

Una de las primeras impresiones es la fealdad. Son feos incluso los edificios bonitos, porque están descuidados, polvorientos y ennegrecidos por el humo. Porque no hay firmas, personas o voluntarios que los limpien o restauren. Porque la belleza pura, la belleza henchida de placer está demasiado cerca del lujo. Y, en estos países, la belleza ha sido considerada culpable y pecaminosa. En cualquier caso, no se ha considerado como un valor.

Es triste reconocerlo, pero todas las cosas hermosas, los grandes palacios, las iglesias, las ricas pinacotecas y los maravillosos jardines, nos han sido legados por los emperadores, los reyes, las familias principescas, las repúblicas burguesas y los papas. La belleza tiene poco que ver con la igualdad, la justicia, la rectitud y el ascetismo. La belleza nace del deseo de superar la condición humana, surge de la opulencia y de la desigualdad. Del deseo de poder, de gloria, de felicidad y de erotismo. O bien de la adoración y del reconocimiento del infinito poder de Dios. La belleza exige sacrificar lo útil a lo inútil, la realidad al sueño.

La otra impresión es de tipo moral. Es como si a la gente les costara aceptar la idea de que cualquier cosa debe ser merecida y ganada personalmente. Muchos se comportan como si todo debiera serles concedido sólo porque están ahí, porque existen. El gran sueño de muchas religiones y luego también del socialismo y del comunismo, ha sido precisamente éste: que todos deben tener lo mismo, independientemente de lo que hacen. Porque todos son hijos de Dios, porque todos nacen libres e iguales, porque todos tienen la misma dignidad.

Un ideal altísimo que contrasta, empero, con otras exigencias profundas de la vida. En efecto, la vida se afirma contra las dificultades, evitando las insidias, superando los obstáculos, buscando el alimento, seduciendo. Nuestro organismo sobrevive porque ha puesto en marcha defensas eficaces contra los continuos ataques de los agentes patógenos. Y lo mismo vale para la vida social.

Los padres que quieren para sus hijos una educación de calidad no deben protegerlos de todas las dificultades, sino exponerlos a las pruebas y darles los instrumentos para afrontarlas. No sólo se trata de proporcionarles cultura, sino también de estimular el coraje y la fuerza moral. Vivir quiere decir adaptarse, pero también realizar un esfuerzo, crear. Vivir quiere decir merecerse la vida.

Y los seres humanos, si por un lado quieren ser amados cómo son, al mismo tiempo necesitan sentirse estimados por lo que han hecho. Si un padre trata a todos sus hijos del mismo modo, produce efectos negativos, porque el perezoso se apoltrona en su pereza y el activo siente un violento sentimiento de injusticia. Si el enamorado da a su amado todas las cosas más hermosas pero le niega la posibilidad de ganárselas, de merecérselas, al final el otro se siente aplastado por la generosidad y se rebela.

Todo individuo quiere sentirse autónomo y poder decir: «Esto lo he hecho yo, esto es mérito mío».

Deseamos cosas diversas. Nos cansamos de ver el mismo paisaje y de tomar la misma comida. Queremos la seguridad pero buscamos la aventura. Queremos la paz pero amamos la discusión, pedimos la igualdad pero hacemos de todo para diferenciarnos. No queremos ser confundidos con uno cualquiera, queremos ser reconocidos por nuestra identidad, que consideramos única e inconfundible.

La ideología elige una sola de estas tendencias contradictorias y la impone a las demás.

Entonces las tendencias reprimidas se vengan y lo corrompen todo. La igualdad se convierte en envidia, la justicia en sospecha, la virtud en persecución. El mundo, que es la objetivación de nuestro ánimo, se afea.

Profesionalidad

En la concepción católica y mediterránea el trabajo es el castigo de Adán, expulsado del paraíso terrenal. Como el prisionero en los trabajos forzados, el trabajador no se siente comprometido a realizarlo bien y mejor. Es más, hace lo menos posible y trata de engañar a sus «carceleros». En la concepción protestante, en cambio, cada uno realiza la voluntad de Dios desarrollando de la mejor manera su trabajo, perfeccionándose él mismo. Es la ética de la profesionalidad.

El mundo moderno ha dado la victoria al modelo protestante y a la profesionalidad. Ser profesional quiere decir conocer todos los gestos apropiados, todo lo que es menester para desarrollar de manera perfecta el propio oficio, el propio arte, teniendo en cuenta las exigencias de los clientes o del patrón. No cuentan las buenas intenciones, cuentan los hechos.

En la vida de cada día entramos en relación con los demás no como individuos, sino desempeñando un rol social. Cuando entro en un comercio necesito que el vendedor sea competente, amable y me ayude a encontrar lo que quiero. No puede tratarme mal o de manera distraída porque esté enfadado con su mujer o con su hijo. Cuando voy a un médico espero que sea competente, me trate bien, me escuche, me visite con diligencia y me prescriba un tratamiento apropiado. No debe hablarme de política o descargar sobre mí su mal humor o sus frustraciones. Del actor cómico espero que me haga reír aunque esté angustiado. Del cantante lírico que cante una romanza de amor aunque esté enfurecido por sus problemas.

Hoy, en cualquier actividad que uno emprenda no puede permitirse la falta de profesionalidad. Ya nadie puede desarrollar su actividad de un modo mediocre, ya no puede llevar al trabajo las propias frustraciones, los propios problemas personales, familiares y emocionales.

Pero, en nuestro país, este principio fundamental a menudo es ignorado. El profesor realiza los exámenes irritado y encolerizado. Así, traiciona uno de los principios fundamentales de su ética: la imparcialidad. El taxista sube el volumen de la radio al máximo, abre la ventana, hace lo que le viene en gana. No piensa en el cliente. El fontanero que ha prometido venir a las nueve y llega a mediodía, se disculpa diciendo que había mucho tráfico, que su hijo estaba enfermo. Hechos privados usados para justificar la ineficiencia.

El electricista no sabe leer las instrucciones del aparato, porque están en inglés. Pero hoy todas las instrucciones están en inglés, es indispensable un conocimiento mínimo de esta lengua hasta para saber usar un destornillador. En la oficina pública está abierta una sola ventanilla, delante de la cual se forma una larga cola. El funcionario es descortés, está cansado y fastidiado. Aquí todos carecen de profesionalidad, tanto él como sus superiores. Quizá incluso el ministro.

La profesionalidad aumenta con la competencia y desaparece con el monopolio, porque no hay ningún interés en superarse para satisfacer al cliente. Esto se ve perfectamente en los bancos. Cuando no había competencia nadie se ocupaba de ti, de tus problemas. No te comunicaban ni siquiera los tipos de interés. Hoy son solícitos, amables y te ofrecen sus servicios.

La profesionalidad puede enseñarse. Pero no bastan los principios abstractos, no bastan las buenas intenciones. La profesionalidad se basa en comportamientos concretos y se enseña mostrando cómo uno se desenvuelve. Tal como hace el director de teatro o de cine. Hay que cuidar todos los detalles, según un esquema preciso, como el que se adopta en la revisión de los equipos delicados, en los que no se admiten errores. ¿Pero hay algo más delicado, más precioso, que el ser humano y sus necesidades?

Entrega

Quien visita los grandes centros de investigación de Estados Unidos, como Harvard o el MIT, encuentra hoy muchos estudiantes y jóvenes investigadores asiáticos, chinos o indios. Trabajan infatigablemente, incluso por la noche, incluso los días de fiesta o los fines de semana cuando los demás se van a divertirse y a descansar. Para comer abren un paquetito que han traído consigo, beben una taza de café y nada más. Algunos vuelven a su país donde se convertirán en fundadores de una escuela científica. Otros deciden quedarse y entran en la elite.

Hace cincuenta años sólo los europeos actuaban así. Fueron los prófugos, los intelectuales y los estudiosos del viejo continente los que hicieron grandes y famosas las universidades norteamericanas. Pero hoy son pocos los jóvenes europeos dispuestos a dedicarse a la investigación pura, a hacer estos sacrificios. Lo vemos también en Italia. Los mejores estudiantes no permanecen en la universidad. Recién licenciados buscan un puesto bien remunerado en una gran empresa. Otros van a hacer másters y cursos de especialización, pero siempre con la vista puesta en una brillante carrera profesional. Y, desde luego, no permanecen en los laboratorios y en las bibliotecas durante la noche y los fines de semana.

Siempre ha sucedido así. Las elites, una vez conquistadas la riqueza y el bienestar, aflojan la carrera, consolidan su prestigio y ocupan las posiciones de mando. Pero su energía disminuye. Entonces, desde lo profundo de la sociedad, desde los desfavorecidos de la tierra, emergen otros jóvenes impelidos por la necesidad, más fuertes y motivados. Como guiados por su instinto, van a los centros más importantes, donde enseñan los profesores más famosos, para aprender y para ser como ellos.

¿Por qué en ciertos lugares, como en Atenas en la antigüedad y en Florencia en el Renacimiento, florecieron tantos genios? Porque allí estaban concentradas las personas más inteligentes, más creativas, más ambiciosas y más exigentes. Porque allí habían afluido los más motivados, deseosos de aprender, de afirmarse y de alcanzar el éxito. El papa Julio II le pidió a Miguel Ángel una obra extraordinaria y él se la dio. Los mediocres piden cosas mediocres, los grandes exigen cosas grandes. Al estar en medio de los grandes todos se vuelven más grandes.

Entre los seres humanos hay enormes diferencias. Algunos se convierten en multimillonarios, otros se mueren de hambre. Algunos construyen rascacielos, otros chabolas de fango. Pero estas espantosas desigualdades dependen sólo en parte de diferencias en las dotes naturales. Éstas, para desarrollarse, precisan un entorno adecuado. ¿Qué habría podido hacer un genio de la palabra como Dante si hubiera vivido en una tribu de guerreros iletrados? Desde luego, no escribir la *Divina Comedia*. El niño aprende a hacer correctamente las cosas que le enseñan y exigen sus padres y maestros. El adolescente es estimulado por sus amigos y por el grupo. Elvis Presley y Jerry Lee Lewis crearon el rock respondiendo a los estímulos de la música negra y a las necesidades de sus coetáneos.

De ello se deriva una consecuencia. Que él que desea crecer debe ir en busca del lugar y de la gente entre los que sus cualidades pueden ser estimuladas y puestas a prueba. Debe dejar su casa, su ciudad, su país y sus hábitos y dirigirse a donde se inventa lo nuevo, a donde todo es posible. Pero para hacerlo se necesita mucho coraje, una desmesurada energía. Quizá el factor más importante del éxito, más aún que las cualidades naturales, es esta energía. En cambio, lo que frena, inhibe y hace perder la ocasión es siempre una mezcla de inercia, de pesimismo y de pereza.

Autonomía

No cuentes con la ayuda de los poderosos, sino sólo con tu trabajo, con tus capacidades y con aquello que sabes hacer. Vive vendiendo tus servicios o tus productos en el mercado. Ésta fue la gran enseñanza de la Italia de las Comunas y también del mundo protestante. No busques las prebendas eclesiásticas o el favor de un príncipe. No pidas nada a nadie. De este modo serás una persona libre. No pidas ni siquiera limosna. Los humildes lombardos, a diferencia de los monjes franciscanos y dominicos, trabajaban como artesanos para poder ayudar a los pobres. Es de ellos de quienes aprendieron los protestantes luteranos y calvinistas.

En el mundo feudal el vasallo depende de los caprichos del señor, el cortesano del humor del príncipe y el artista de la corte del mecenas. Sólo el artesano que trabaja en su taller con sus manos, con su habilidad, no debe congraciarse con un personaje colérico e iracundo, sometiéndose a sus decisiones arbitrarias y a sus gustos. Crea y vende sus productos a aquellos que los aprecian. Si no los quiere el principote de su pueblo, los ofrecerá a otra gente, a otra nación.

La libertad de los ciudadanos de Florencia, Venecia, Génova y luego de Amsterdam o Lubeck, tenía como fundamento su capacidad de exportar a toda Europa. Hasta el siglo pasado

74

los literatos y los músicos podían desarrollar su trabajo sólo si eran buena de familia o si trabajaban bajo las órdenes de un señor. Luego comenzaron a mantenerse vendiendo sus libros en el mercado. Éste fue el verdadero fundamento de la libertad de expresión.

Pero, en muchos países, también en Italia, la industria ha permanecido a menudo enganchada al poder político para tener protección, recibir encargos y ayudas. El poder político se los ha concedido a cambio de dinero y de favores. Esto ha ocurrido antes, durante y también después del fascismo. De esta complicidad entre el mundo empresarial y el poder político ha nacido la corrupción de Tangentópolis. Pero la parte más vital de nuestro sistema económico no ha pedido favores ni privilegios, no ha participado en licitaciones fraudulentas, sino que ha afirmado sus productos en los mercados internacionales.

Así han actuado los creadores del *made in Italy*. Una vez más la libertad individual y colectiva ha sido garantizada por la capacidad de realizar un trabajo bien hecho y a todos los niveles, tanto al empresarial como al individual.

Trabajar y enriquecer las propias competencias es el patrimonio más precioso del individuo. Es el único verdadero fundamento de su autonomía y de su libertad, sea directivo, técnico, profesor, artesano, obrero o profesional. Es un poder al que nadie debería renunciar.

Es un error jubilar a un ciudadano a los cincuenta y cinco o sesenta años, cuando ha adquirido una valiosa competencia. Y es absurdo que uno se retire voluntariamente. El descanso está bien para quien es inhábil o está enfermo. Ahora bien, quien hace un trabajo demasiado pesado, debería tener uno más ligero, con un horario reducido. Pero todo ser humano, mientras esté sano y lúcido, debería permanecer activo, trabajar y aprender cosas nuevas. Miguel Ángel tenía más de sesenta años cuando pintó el *Juicio universal*. Verdi tenía setenta y cinco cuando compuso *Otello*.

Es un error luchar para retirarse pronto de la vida activa, del ejercicio laboral. Es más, habría que luchar por tener la posibilidad de permanecer activo, aunque sea con horarios reducidos, durante períodos limitados, asumiendo tareas más adecuadas. Habría que luchar por tener la posibilidad de estudiar, profundizar y renovarse. Y así mantenerse vivos, útiles y dar siempre lo mejor de sí mismos.

4

Vocación

Siempre hay en nuestra vida una misteriosa coherencia, un hilo conductor, una trama a la que alguien denomina vocación, llamada, o incluso destino. Debemos saber reconocer esa trama y tener el coraje de no traicionala si queremos seguir siendo nosotros mismos y hacer algo de valor. Esta trama misteriosa no se mantiene idéntica, cambia en cada etapa de nuestra existencia. Cada vez hay que saber reconocerla y aceptarla hasta el final. Sólo entonces entramos en contacto con las energías profundas que nos sostienen y nos guían. Ya no sentimos miedo ni fatiga y conseguimos ir «más allá» de nuestro yo cotidiano.

Buscarnos a nosotros mismos

A lo largo de nuestra vida, todos debemos buscar nuestro camino profesional y artístico. A veces nos aparece claro cuando todavía somos niños, otras veces, en cambio, lo encontramos sólo muy tarde, después de innumerables tentativas. Depende de nuestras cualidades, del ambiente en el que vivimos, de las posibilidades que nos ofrece la vida y del desarrollo técnico.

Pero, en cualquier época histórica, en cualquier entorno social, en Europa o en África, somos siempre nosotros, los individuos, quienes debemos encontrar el especialísimo camino al que nos sentimos más proclives.

No pienso en un destino. Más bien en una correspondencia entre nosotros y el mundo. Como una predisposición, una afinidad o una llamada. Porque cada uno de nosotros es absolutamente único y tiene un puesto específico en el mundo, una tarea inconfundible.

¿Pero cuál? Probamos en una dirección, la abandonamos, buscamos en otra. Estudiamos qué nos ofrece las mejores oportunidades. Pero no podemos mirar sólo al exterior y elegir la vía más prometedora. Si soy un estudioso, mi camino es la investigación, el descubrimiento de nuevos fenómenos. Si soy un artesano, mi camino es hacer objetos estupendos. Si soy un profesor mi tarea es enriquecer y abrir el entendimiento de mis

79

alumnos. Pero veo en mi entorno personajes del espectáculo, futbolistas famosos, cantantes célebres, políticos poderosos y ricos empresarios. ¿Qué debo hacer? ¿Tratar de ser como ellos?

Hay quien se deja guiar por la envidia. Mira con fascinación a todos aquellos que han hecho fortuna, que han alcanzado el éxito y querría ser como ellos. Es un camino peligroso.

El envidioso se identifica completamente con el otro. Entra en su piel, desea ser exactamente como él, hacer las mismas cosas, en resumen, convertirse en el otro. Si seguimos este camino nos perdemos a nosotros mismos. Acabamos por no saber quiénes somos y qué queremos. Somos como banderolas que van ondeando según sopla el viento y no llegamos a ninguna parte.

No debemos dejarnos fascinar por aquello que hacen los demás, por el éxito que puedan tener. El éxito de otros puede ser un estímulo o una indicación, nunca una meta. Imitar a los demás puede ser útil en un momento dado para entender qué es lo más adecuado para nosotros. Como el artista que copia las obras de los grandes maestros para dominar la técnica y desentrañar sus secretos. Pero luego debe identificar la parte más verdadera e inexpresada de sí mismo, debe olvidarse del maestro y realizar su propio e inconfundible estilo. Nuestra tarea fundamental es convertirnos plenamente en lo que somos.

Para reconocer la misteriosa guía hacia nuestra vocación profunda debemos escuchar otras señales. Señales que nuestro mundo interior nos manda como un radiofaro que guía al avión a lo largo de su ruta. Si nos alejamos demasiado, tenemos una oscura sensación de malestar moral, sentimos que nos estamos equivocando. Es como si disminuyera una energía que nos sostenía. Y si no conseguimos captar estas señales, si por presunción las ignoramos, corremos el riesgo de extraviarnos de la ruta.

¿Cuáles son estas señales positivas? Podemos dar sólo algunos ejemplos. Uno es éste. A veces encontramos personas que son como nosotros querríamos o podríamos ser. Y, al conocerlas, en vez de sentir envidia nos quedamos arrobados y presa de una religiosa admiración.

Otras veces, al visitar una ciudad, un laboratorio o una academia, tenemos la impresión de que ésa es nuestra casa. Pero, puesto que aún no hemos llegado a la meta, experimentamos también un sentimiento de desazón y de nostalgia. Lo describe muy bien Andersen en su célebre relato del patito feo cuando éste ve a los majestuosos cisnes. Él no sabe que es un cisne, pero, al observarlos, capta algo que lo fascina, lo sorprende y lo conmueve. En ellos percibe oscuramente su propia naturaleza y su destino.

Una misión

Todos, para vivir, deben tener una fe. Todos, para vivir, deben tener una misión. No importa si humilde o elevada, si heroica o cotidiana. Tener una fe y una misión quiere decir estar integrados en el río de la vida, sentirse parte de ella, con un sentido, una meta. Quiere decir sentir que se tiene una tarea útil en el mundo. Seguir la propia misión es como recorrer un camino ya trazado. Perderla es como extraviarse entre los campos, entre los precipicios, sin orientación.

Sin embargo, de vez en cuando, nos alejamos. Tenemos períodos de extravío y de confusión. Nos preguntamos qué hacemos en el mundo y nos sentimos tentados de abandonarnos a la desesperación. Pero debemos resistir para recuperar nuestro camino, para reconocerlo. Debemos tener la fuerza de esperar que, desde la oscuridad, nos aparezca una luz, una esperanza. Y tarde o temprano ésta llega. Puede ser un encuentro inesperado, una nueva oportunidad, alguien que nos pide ayuda. A veces es sólo un cambio de humor, otras veces es un sueño. De nuevo entrevemos un significado, una dirección. Es como si se encendiera una tenue llamita que el viento puede apagar de inmediato. Corresponde a nosotros protegerla.

Para hacerlo se necesita voluntad, el ejercicio cotidiano de la voluntad. Sólo con la voluntad mantenemos la mirada fija en la meta y resistimos a las dudas, a las debilidades y a las decepciones. Todos aquellos que han realizado algo grande han sido fieles a su tarea y han perseverado en ella, resistiendo a las dificultades, al fracaso y a la incomprensión. Dante pasó gran parte de su vida en el exilio. Shakespeare dejó su casa, su familia y sus hijos. Mozart escribió música con verdadero frenesí, como si supiera que moriría joven. Beethoven siguió componiendo aun cuando fue golpeado por la sordera. Nietzsche luchó contra la locura. Freud resistió las críticas, el escarnio y la enfermedad.

Pero lo que vale para los grandes personajes de la historia vale para cualquier ser humano. Mucha gente que conozco hace lo mismo en su campo. Es fiel a su tarea y a su vocación día tras día. Conozco a un filósofo que durante toda la vida ha explorado el abismo del tiempo. A un sociólogo que ha estudiado el comportamiento del consumidor. A un abogado penalista que lucha por sus clientes como si fueran sus hermanos. A un médico que no abandona nunca, ni siquiera durante un momento, a sus pacientes. Conozco a un escultor que vive modestamente para crear estupendos sueños en el mármol. A un pintor que inventa mundos de color sobre la tela. Y cuanto más miro a mi alrededor, más me percato de que incluso las personas que parecen más superficiales y desatentas, en realidad, a menudo se han dedicado a tareas por las que merecerían atención y elogios.

En todo ser humano hay algo noble, heroico y admirable. ¡Y son muy pocos los que obtienen el merecido reconocimiento! Casi todos obtienen infinitamente menos de lo que les correspondería. Y, en el fondo, todos somos conscientes de este destino amargo, de esta injusticia abismal, connatural a la existencia. Una injusticia metafísica, que ninguna revolución ni ninguna reforma puede eliminar. De hecho, sólo puede ser redimida por el modo con que cada uno de nosotros se relaciona con el otro, respetando su dignidad, apreciando su trabajo y haciendo justicia a aquello que hay en él de elevado y valioso.

Cada edad tiene su misión

En cada época de la vida disponemos de ciertas capacidades emocionales e intelectuales y debemos afrontar un conjunto de problemas que dependen del concreto entorno social en que nos encontramos. El niño depende de sus padres, el adolescente comienza a emanciparse de ellos. El niño vive en una comunidad infantil restringida, el adolescente se integra al universo juvenil, con sus modas, sus cantantes, sus mitos y sus valores. Y el mundo social cambia otra vez con el ingreso en la universidad, luego con el inicio de la actividad laboral, con el matrimonio y así sucesivamente.

En cada etapa cambiamos individualmente, cambian las expectativas de los demás respecto de nosotros y cambia el grupo social en el que estamos integrados, pero también cambia la sociedad en su conjunto. Un hombre o una mujer de sesenta años eran niños durante la guerra, vieron los bombardeos, a los nazis, pasaron hambre. Luego eran adolescentes en la posguerra, un período lleno de esperanzas y de rígidas ideologías. Eran jóvenes durante el milagro económico y asistieron al surgimiento de la sociedad del bienestar y del consumo. Se convirtieron en jóvenes adultos en la época de la revolución sexual, de las protestas y del terrorismo. Luego vieron la crisis del comunismo y el fin de la Primera República.

Por eso, en cada etapa de nuestra vida es como si cambiáramos de país, como si emigrásemos. Debemos adaptarnos a un nuevo entorno social, con nuevas costumbres, nuevos valores y nuevas leyes. A menudo ya no sirve la experiencia que hemos acumulado, ya no podemos contar con los amigos de otro tiempo. Nos sentimos en crisis, desorientados, impotentes e inútiles. También hay quien comienza a mirar atrás, a añorar el pasado. En cambio, para vivir es necesario mirar hacia adelante, afrontar lo nuevo, encontrar nuevas energías y nuevos objetivos. Sólo así recuperamos el propio lugar en el mundo.

Por eso, en cada etapa de nuestra vida cambia también la tarea fundamental, lo más importante que somos llamados a realizar. Una vez se tratará de estudiar y de aprobar los exámenes. En otra ocasión, obtener una licenciatura o aprobar unas oposiciones. Más tarde hay que entrenar el propio cuerpo, tener éxito en el deporte. Luego demostrar la propia capacidad en la profesión, hacer carrera. O bien expresar nuestro erotismo, la necesidad de amar y ser amados. Formar una familia, procrear y eduar a los hijos. O bien desarrollar una actividad pública, política, o ayudar a alguien que lo necesita.

No existe una misión única, una vocación única. Hay una llamada para cada época histórica y para cada fase de nuestra vida. Cada vez debemos reconocerla, aceptarla y seguirla hasta el final. Como dice el Profeta de Lublín: «Es tarea de cada hombre conocer bien hacia qué camino lo atrae el propio corazón y luego elegirlo con todas sus fuerzas».

A menudo somos llamados a desarrollar una tarea que no habíamos previsto y ni siquiera imaginado. Pensábamos en quedarnos tranquilos, en viajar, o bien en escribir un libro, en estar en familia. Sin embargo, resulta que debemos afrontar una nueva responsabilidad. En una empresa, en una escuela, en un círculo cultural, en familia o en la política. Podemos decidir si aceptarla o no. Pero, si aceptamos la nueva tarea, debemos poner en ella el mismo empuje con el que habíamos emprendido el primer trabajo. Pobres de nosotros si hacemos algo a medias, pobres de nosotros si lo hacemos y luego nos lamentamos. La tarea más grave y difícil se convierte en leve si se la asume hasta el final, sin reservas.

Despertar

Freud, en *El malestar en la cultura*, sostiene que el proceso de civilización nos obliga a reprimir cada vez más nuestros instintos. Perdemos la fuerza, la inmediatez y la ingenuidad del animal salvaje, del primitivo, del niño. Nos volvemos mansos, prudentes, apacibles y obedientes con las leyes, los reglamentos y las prohibiciones. Y tenemos una impresión de vacío y de aridez. También la fantasía se apaga. Ya no nos sentimos inmersos en una naturaleza animada por fuerzas extraordinarias y divinas. Nuestra ciencia sólo ve células, moléculas y enzimas. Del cielo desaparecen las inteligencias que gobiernan nuestro destino. Quedan los planetas gaseosos y los cometas helados. El desencanto del mundo va en paralelo con el endurecimiento de la vida.

Este malestar se hace sentir, en el alma juvenil, como necesidad de desertar de la vida cotidiana. Con la música, con un exceso de movimiento, de excitación. Pero, sobre todo, dejando el mundo diurno para reunirse con los demás durante la noche.

La familia está habituada a ver a los jóvenes cansados delante de los libros y no sabe qué energía explosiva pueden manifestar en otras partes. Para ir a la discoteca pueden hacer centenares de kilómetros. En cuanto empieza la música se desmadran, viven la potencia de su cuerpo y se sienten libres, vivos. Es en la noche, en los rituales de la noche, donde redescubren su naturaleza instintiva profunda.

En las personas menos jóvenes esta misma exigencia se manifiesta en el deseo de viajes, de vacaciones. Su sueño es encontrar lugares maravillosos y no contaminados, donde desaparecen las ataduras, los frenos y las limitaciones de la vida cotidiana. Donde cada uno puede expresar su naturaleza salvaje, dionisíaca, en encuentros mágicos, encantados. Hoy, muchas personas sólo consiguen vivir y soportar el trabajo cotidiano porque están a la espera de la noche mágica de la discoteca o de las vacaciones.

También hay momentos históricos en los que generaciones enteras y grandes movimientos intentan reunirse con las raíces profundas del ser, para recuperar la espontaneidad y la sencillez perdidas. Es lo que hicieron los franciscanos en el siglo XIII, y luego tantos otros movimientos religiosos o filosóficos.

Es lo que hicieron hace treinta años los *hippies*, que rechazaban la sociedad moderna, el éxito, la competencia y el dinero. Para recuperar el sentimiento de la naturaleza, la vida sencilla, el amor y una dilatación mística de la conciencia. Explosiones lujuriosas y creativas, sueños colectivos que marcan inflexiones epocales.

Pero este tipo de renovación profunda acaece también en el individuo. No podemos hacer nada hermoso y grande en el arte, en la ciencia o en la vida si no generamos estas energías. Si no nos liberamos de los hábitos, de las reglas y de los miedos que frenan y embotan nuestra mente. Si no hacemos emerger el deseo, la motivación auténtica, la vocación escondida en el fondo de nuestro ánimo. Toda creación es una revuelta, una transgresión, un despertar y un renacimiento.

Entonces la vida fluye llena de fuerza. Lo que nos pesaba y aridecía no eran las reglas en sí, sino las reglas separadas de sus fuentes. Despertado y liberado, el impulso se transforma milagrosamente en forma, en orden. La vocación por la danza nos lleva con naturalidad a modelar los músculos, el cuerpo, hasta que llegamos a movernos de manera perfecta y armónica. El artista, obsesionado por su creación no se concede ninguna indulgencia. El enamorado encuentra ligera cualquier fatiga, cualquier prueba para demostrar su amor.

Los orígenes

El espíritu creativo tiene su máximo vigor en los inicios cuando dispone de todas sus fuerzas, de juventud y de confianza para producir sus obras más esplendorosas y duraderas. El poder, en cambio, se construye poco a poco, y crece en el tiempo a expensas de la creatividad.

La filosofía griega florece en pocos años en Atenas. Dante, el máximo poeta italiano, hace su aparición cuando la lengua italiana aún no está formada. También Shakespeare escribe cuando la lengua inglesa aún no está plenamente desarrollada. La ópera lírica nace ya madura en los albores del romanticismo con Mozart, Rossini, Bellini y Donizetti. Rusia está saliendo de su medievo cuando nos da, de golpe, a todos sus grandes novelistas: Tolstoi, Pushkin, Gogol y Dostoievski. Alemania, en el mismo período, tiene a sus más grandes filósofos y poetas: Goethe, Schiller, Hegel, Schelling y Fichte.

También los movimientos religiosos y políticos aparecen imprevistos y producen sus frutos más preciosos en poco tiempo. Buda y Mahavira, los creadores del budismo y del jainismo, son contemporáneos. En el primer siglo de nuestra era proliferan las religiones de salvación: cristianismo, gnosticismo, cultos mistéricos y neoplatonismo. En pocas décadas Lutero y Calvino realizan la Reforma protestante.

En estos períodos creativos la gente se adhiere espontáneamente a una fe, a un credo y no tiene miedo. Está convencida de que la reflexión y la discusión llevan a la verdad. Vive una experiencia de libertad, de entusiasmo y de esperanza. Los filósofos griegos miran el mundo con ojos límpidos y seguros, las religiones anuncian la liberación del dolor, la hermandad y la salvación. Los poetas, los músicos y los dramaturgos nos comunican emociones y valores que aún hoy nos dan fuerza y vida.

Luego la fase creativa se apaga. La filosofía griega se convierte en academia. La libertad política desaparece en los imperios helenísticos. Los polemistas cristianos, que antes habían discutido con sus adversarios gnósticos o maniqueos, después los persiguieron y destruyeron sus obras. La Iglesia edifica sus dogmas inmutables y su jerarquía. El mundo de la creación y del descubrimiento es reemplazado por el mundo de las reglas y las certidumbres. A Aristóteles lo convierten en una autoridad indiscutible, en el «maestro de aquellos que saben». Todo se ha tornado rígido e inmóvil, todo se ha vuelto poder. Y la parábola de la Iglesia católica se repite idéntica en la Reforma protestante, en la Revolución francesa y en el marxismo.

Lo que nace como empuje creativo y liberador, en el transcurso de pocas décadas se convierte en dogma, en control ideológico y policía política. Es reemplazado por la época de los burócratas, del espionaje, de la delación y el miedo.

Ocurre lo mismo con el amor, que en sus orígenes es libertad, seducción, aventura y juego. Mientras que, años después, los dos cónyuges, cansados, estarán juntos por los compromisos adquiridos, por la costumbre, los celos, el deber o el miedo al futuro. El individuo, cuando está en la plenitud de la creatividad, no se preocupa por el poder. No busca seguridades ni garantías. Se arroja al mundo, inventa, juega y arriesga, se ríe de sí mismo y de los demás. Sólo cuando su creatividad se apaga se pone a acumular dinero, cargos, premios y honores.

El poder, la regla y la norma son todos sustitutos de la llama creativa ya apagada. Por eso el individuo, la vida y la sociedad sólo pueden renovarse sacudiéndose periódicamente para volver a ser jóvenes y recomenzar desde el principio, como si fuera el primer día de la creación del mundo.

5

Tipos humanos

Son muchas las actitudes a asumir ante la vida, la realidad y los demás. Para divertirse, para actuar y para conocer. A veces para ponerse de costado y ayudar a quien crea, a quien construye. Otras veces para ponerle obstáculos.

Aprendizaje

Hay tres tipos fundamentales de actividades humanas: las que hacemos por diversión, las que hacemos por necesidad y las que hacemos para crecer. Durante la infancia estas actividades están unificadas por el juego. Los padres, cuando eligen un juguete para su niño, se preocupan de que le agrade y, al mismo tiempo, lo ayude a crecer, a madurar. Incluso cuando le asginan un pequeño trabajo, se lo presentan como juego. El niño juega y aprende haciendo girar una peonza, pedaleando con un triciclo, construyendo con el Lego o ayudando a la madre a poner los platos en la mesa.

Con el paso de los años las actividades de aprendizaje y de trabajo se separan de la diversión y del juego. El chico se cansa de ir a la escuela, se cansa de estudiar, se niega a hacer los trabajos de casa, se rebela. Prefiere divertirse yendo de paseo con sus amigos. Durante toda la adolescencia el individuo trata de conservar el modelo infantil, en el que todo tiene forma de juego. En la universidad aún se encuentran estudiantes que, durante el examen, te dicen que no han estudiado a cierto autor o cierto tema, porque no les agradaba. Con el ingreso en el mercado, sin embargo, el individuo se doblega a las necesidades sociales. Entonces se forman tres tipos humanos, diversos entre sí.

El primer tipo humano es el *lúdico*. Busca la diversión y considera el trabajo una dura necesidad, algo que hace para poder disfrutar después del tiempo libre y del esparcimiento. Las personas de tipo lúdico esperan con ansiedad la tarde o el fin de semana para ir a divertirse. Esperan, hora tras hora, poder salir del trabajo o de la escuela. Pasan la velada en el bar y la noche en la discoteca. Sueñan con las vacaciones y los viajes, y hablan continuamente de ellos. Van a esquiar, hacen deporte. A falta de otra cosa, se quedan sentados delante del televisor, o bien van a cenar con amigos para charlar de esto y aquello. No soportan el tiempo vacío, por eso siempre buscan algún «pasatiempo».

El segundo tipo humano es el *activo*. Está totalmente proyectado hacia el exterior, se deja absorber por el trabajo, por la actividad. Su único deseo es dominar, controlar el mundo. No tiene verdaderos esparcimientos o diversiones. Todo lo que hace, incluso en una fiesta o en una excursión en barca, tiene siempre un objetivo práctico que le sirve para manipular a los los de más y crear relaciones sociales útiles. No tiene un momento de intimidad, nunca se queda solo consigo mismo, no se interroga sobre el objetivo de su vida. Su tiempo está constantemente ocupado y obliga a todos los demás a seguir su ritmo. En esta categoría encontramos a los políticos fanáticos, a los financieros despiadados, a los comerciantes incansables, a los directivos despóticos, a los profesores universitarios obsesionados por las manipulaciones académicas y a las amas de casa obsesivas.

El tercer tipo humano da prioridad al aprendizaje, al conocimiento y al enriquecimiento personal. Podemos llamarlo el *explorador*. A diferencia de los dos tipos precedentes, lee, estudia y utiliza cualquier experiencia para aprender y reflexionar. Incluso frente a un fracaso, un dolor o una traición se pregunta: ¿Qué puedo aprender de esto que me ocurre, cómo puedo utilizarlo para conocerme mejor a mí mismo y a los demás? Cuando hace un viaje, estudia la historia del país, lo compara con el suyo. Cuando debe pasar el tiempo en una sala de espera mira la arquitectura, observa los diversos tipos humanos que entran y salen. Cada vez que conoce a una persona, escucha atentamente sus palabras, esperando que le puedan revelar algo nuevo. Mientras que el tipo activo califica como buenos a aquellos que le sirven y como malos a aquellos que le ponen obstáculos, el «explorador» no emite juicios perentorios, sino que trata de entender a todos.

Personalidades antagonistas
y no antagonistas

Hay personas que en cualquier lugar y en cualquier relación asumen una posición antagonista. Viven las relaciones como certámenes en los que deben afirmar el propio valor superando cualquier otro. Siempre necesitan un enemigo, un rival.

Sienten satisfacción y placer combatiendo, venciendo. Exultan cuando triunfan sobre el enemigo. Prefieren los manejos, los enfrentamientos, las batallas y las emboscadas. A menudo son vigilantes y recelosos. Sólo cuando han doblegado al adversario están dispuestos a tenderle una mano.

En el extremo opuesto están, en cambio, las personas que se sienten a disgusto en situaciones competitivas y las evitan. Obligadas a hacer maniobras y a luchar, al cabo de poco tiempo tienen una sensación de fastidio, de inutilidad y de derroche. Encuentran satisfacción y placer cuando se sienten rodeadas y sostenidas por el consenso. Tienen una experiencia de plenitud de vida sólo cuando se funden amorosamente con otra persona. De costumbre, se sienten realizadas cuando construyen algo. Por ejemplo, escribiendo un libro o componiendo música.

Estos dos tipos humanos aman de manera profundamente diversa. Los primeros están llenos de pasión y mientras están empeñados en la conquista se sienten desbordantes de amor y de deseo. Se comportan así mientras quede un marido, una mu-

98

jer o un rival por derrotar. O mientras el otro se resista o aún no haya dado su sí. Pero, en el preciso momento en que están absolutamente seguros de que son correspondidos, de que han vencido definitivamente, su interés desaparece.

A este tipo de amor he dado el nombre de pseudoenamoramiento competitivo. En efecto, no se trata de un enamoramiento, pues su objetivo no es la creación de una pareja, de un nuevo mundo social, sino la victoria sobre un adversario. La satisfacción erótica viene del placer de afirmar la propia voluntad sobre otro, viene del gusto del dominio.

Los del segundo tipo, en cambio, se encuentran extremadamente a disgusto en la primera fase del enamoramiento, cuando existe un marido, una mujer o un rival, cuando no están seguros del amor del otro. Continuamente se sienten tentados a renunciar. Su felicidad aflora sólo cuando están seguros de ser plenamente correspondidos. Cuando, olvidado todo lo demás, pueden ser sinceramente ellos mismos y pueden abandonarse confiados a su amor. Abrazados, fundidos con su amado o su amada, experimentan la máxima expansión de sí mismos, la suprema realización de su vida.

Muchos están convencidos de que sólo las personas de tipo antagonista son ambiciosas y están motivadas por el éxito. Pero no es cierto. Hay muchísimas personas ambiciosas, capaces de afirmarse aunque formen parte de aquellos que no aman la competición, que quieren llegar al resultado con la aprobación de los otros, convenciéndolos, obteniendo su consenso, su apoyo y su aplauso. Se esfuerzan por destacar haciendo las cosas de la mejor manera posible y tienen hacia todos una actitud conciliadora. Cuando se encuentran en el centro de un choque de intereses, buscan el compromiso o inventan otra solución. Su ideal es que todos estén contentos. Su lema podría ser «muchos amigos, mucho honor».

Las personas antagonistas, en cambio, entienden el éxito como triunfo sobre alguien. Tienen necesidad de un rival al que derrotar e identifican el éxito con la capacidad de vencer al adversario, de doblegar su voluntad. Es decir, de dominarlo. En consecuencia, su lema es «muchos enemigos, mucho honor».

Quien ayuda y quien pone obstáculos

Hay personalidades abiertas y generosas. Cuando conocen a alguien que está produciendo, inventando o construyendo algo sienten una instintiva simpatía. Se ponen de su lado, tratan de simplificarle la tarea, le prestan ayuda, son felices con su éxito y con los resultados alcanzados. En el extremo opuesto están los tipos humanos dominados por la desconfianza y por la envidia. Frente a un innovador sienten una inmediata necesidad de controlarlo, de ponerle límites y reglas. Interfieren continuamente en su trabajo y acaban paralizándolo.

Lo curioso es que ambos pueden tener las mejores intenciones. Al oírlos exponer sus propósitos, es imposible entender cómo se comportan. Los dos dicen que admiran a quien tiene iniciativa, que quieren la expansión y el desarrollo. Su comportamiento, tan opuesto, tiene sus raíces a un nivel más profundo: en el carácter, en la mentalidad y en el modo de relacionarse con el mundo.

La persona abierta y generosa está segura de sí. Por eso le importan los resultados. Le interesa ver nacer cosas buenas y bellas. Se realiza identificándose con quien las crea. La persona cerrada y envidiosa, en cambio, necesita afirmarse a sí misma, afirmar su propio valor. Quiere demostrar que el experto, activo e indispensable es ella, y no el otro. Por eso lo frena, lo controla y lo paraliza.

Puesto que se trata de una diferencia de mentalidad y de valores, sus comportamientos tienen efectos extremadamente diversos según la tarea que se proponen o se les asigna. Por ejemplo, si se encarga a una persona del segundo tipo, es decir, desconfiada y envidiosa, que vaya a ayudar a un colega en apuros, el resultado será catastrófico, porque no podrá resistirse a la tentación de hacerle críticas y de ponerle obstáculos. Al contrario, si se encomienda a una persona abierta y generosa frenar a un colega demasiado activo, existe el peligro de que lo estimule aún más.

Recuerdo el caso de una gran empresa en la que el presidente, viejo e inseguro, quería impedir que un directivo joven y creativo se convirtiera en gerente. Para bloquearlo hizo entrar en el consejo de administración a dos nuevos empleados. Uno de ellos era del tipo desconfiado y de inmediato empezó a crear problemas. El segundo, en cambio, pertenecía al tipo abierto. Si bien había ido para poner obstáculos, muy pronto comenzó a apreciar al joven directivo y, en el transcurso de pocos meses, se convirtió en su más vehemente defensor.

Estos dos tipos humanos se encuentran en todas las empresas, y a todos los niveles. Cuando son colocados en posiciones de mando, los generosos eligen a los colaboradores más emprendedores y activos. Les dan amplias responsabilidades y los dejan actuar. Bajo su mando las empresas prosperan, sus secciones vuelven a funcionar. Los desconfiados y envidiosos, en cambio, sólo eligen personas que obedecen ciegamente y no escatiman medios para poner obstáculos a quien se muestra independiente y autónomo. Por eso los primeros suelen ser mejores líderes que los segundos. Sin embargo, a menudo son los segundos los que echan raíces en las posiciones de poder. Porque roen poco a poco las posiciones de los demás, trabajan para ponerles obstáculos, para hacerlos fracasar y siempre encuentran aliados entre los de su mismo tipo. Al final los mejores se cansan y se marchan. Así, permanecen los peores para gestionar con impericia burocrática lo que queda.

6

Formas de existencia equivocada

Hay muchas maneras de ser, de vivir en el mundo. Hay personas valientes y generosas, que aman el resultado y están dispuestas a colaborar con quien tiene una gran tarea. Olvidándose de sí mismas, se realizan en el empuje y en la acción. Otras, en cambio, temen que puedan quedar en la sombra y sólo se preocupan de afirmar la propia persona frenando, explotando y estorbando a los demás, a menudo atormentándolos. Son los mezquinos, los depredadores y los pusilánimes que no tienen el coraje de vivir plenamente. Llevan, como unos parásitos, una forma de existencia incompleta y equivocada.

Quien roba energía

Algunas personas nos dejan una sensación de cansancio, otras de fuerza. Después de haber estado un cierto tiempo con las primeras realizando un trabajo juntos, estamos fatigados, malhumorados y agotados. Con las otras, en cambio, incluso cuando trabajamos intensamente no nos cansamos. Es más, al final del encuentro, nos sentimos más fuertes y eufóricos.

Un fenómeno similar acaece también con los ambientes. Algunos nos fatigan. Y la idea de volver a ellos nos pone de mal humor. No quiere decir que sean los más sombríos o tétricos. Pueden ser incluso luminosos y modernos, pero por alguna razón pueden extenuarnos. Mientras que otros, que quizá son viejos y destartalados, nos transmiten una sensación de seguridad.

Para explicar este fenómeno hay quien sostiene que algunas personas roban energía, mientras que otras la dan. Y que los ambientes conservan la impronta del bien y del mal de lo que ha sucedido allí en el pasado. Puede ser. Pero pienso que estas experiencias dependen más bien del tipo de personas que se encuentran y de las relaciones humanas que se establecen en esos lugares.

¿Quiénes son los que nos cansan? No son nuestros amigos, desde luego. Sin embargo, cuando estamos cansados, preocupados o angustiados hablamos de buena gana con ellos. Dejamos caer la coraza defensiva, hecha de vigilancia y prudencia, que estamos obligados a llevar en la vida cotidiana, en el trabajo y en los negocios. Podemos mostrarnos débiles, indefensos y necesitados de ayuda. No tememos que se aprovechen de ello para herirnos, despojarnos o dominarnos. Sabemos que están de nuestra parte hasta el final, sea como fuere. Cargamos sobre sus espaldas nuestros problemas y ellos nos ayudan como pueden. Y nosotros nos reconfortamos.

Pero podemos sentirnos aliviados y relajados no sólo con un conocido o un colega, sino también con alguien a quien vemos por primera vez, cuando se trata de personas llenas de vitalidad, entusiasmo y ánimo gentil. Con ellos podemos ser espontáneos, nos sentimos libres, porque percibimos que reconocen nuestras cualidades humanas, aprecian lo que hacemos y nos ayudan a crear. En cambio, nos cansamos con todos aquellos que, detrás de las apariencias, detrás de su afectada amabilidad, son codiciosos, envidiosos y hostiles, que son aquellos que nos ponen obstáculos.

Cada ser humano está dotado de la capacidad de intuir inmediatamente el ánimo del otro. Nosotros vemos en el interior de los demás seres humanos con la misma claridad con que percibimos los colores y sentimos los sonidos. La sonrisa quiere decir alegría, la mirada huidiza desconfianza, el entusiasmo generosidad, la palabra desagradable, odio y la desatención desprecio. El gesto que aferra significa codicia, la observación maligna, envidia y el pesimismo, deseo de bloquearte.

Nos percatamos instintivamente de si uno miente o simula. Caemos en el engaño sólo cuando no queremos ver, cuando preferimos convencernos de que cierto individuo es un amigo nuestro, una persona respetable.

Las personas generosas tienden a pensar siempre que los demás son como ellos. Otras veces, aun sabiendo que nuestro interlocutor es una víbora, fingimos que no pasa nada porque, después de todo, estamos obligados a convivir con él. Sonreímos, somos amables y seguimos adelante. Pero, en el fondo, nuestra inteligencia emocional sigue advirtiéndonos: «¡No te fíes, no te fíes!». Y, mientras hablamos o trabajamos, estamos empeñados en un continuo y agotador trabajo de defensa inconsciente.

En síntesis, nos cansamos, nos agotamos y nos sentimos vacíos de energía cuando estamos obligados a estar con alguien a quien sentimos hostil, enemigo, que trata de debilitarnos. Nos fatigamos en un ambiente en el que, más allá de las apariencias, las relaciones humanas son enojosas y poco sinceras.

Es la presencia de este tipo de individuos y de obstáculos lo que convierte un lugar en opresivo no son los muros, es la atmósfera humana envenenada la que nos fatiga.

Quien no sabe hacer las paces

Los seres humanos siempre se han combatido y reconciliado. Lo vemos en la vida privada, en la política y en la guerra.

Los hermanos pueden disputar furiosamente y, después de algún tiempo, volver a jugar y a ayudarse como antes. En la política, los adversarios se lanzan graves acusaciones durante la campaña electoral. Pero, si deben formar un gobierno de coalición o enfrentarse a un enemigo común, se apaciguan y se declaran su amistad. Incluso la guerra, la más cruel y despiadada forma de agresividad, en un momento dado acaba. Las ofensas son olvidadas y comienza una nueva época de paz y de colaboración.

Para acabar con el conflicto, para hacer las paces, es preciso que alguien envíe señales de pacificación y que el otro las acepte. Dos chicos han disputado a muerte, no obstante, cuando están a distancia, su cólera se desvanece. Entonces, el día en que se encuentran, uno de los dos murmura desde lejos un «hola» al que el otro responde con un vago gesto de saludo. Es poco, pero significa que la señal de reconciliación ha sido recibida. La próxima vez podrán volver a hablar.

También en la vida profesional tenemos discusiones, incomprensiones y desacuerdos con los colegas. Pero, después de una sesión tumultuosa, nos acercamos con amabilidad a la persona con la que hemos discutido acaloradamente, le sonreímos y le hacemos entender que no tenemos un rencor personal.

A continuación, tratamos de hacerle un favor para demostrarle nuestra amistad. Son actos de reparación cuyo objetivo es impedir que el desacuerdo continúe y favorecer el proceso opuesto. Así, en un momento dado, se olvida la discrepancia y la relación vuelve a ser amigable.

Pero, cuidado, hay un particular tipo de persona con la cual la reconciliación es imposible, porque interpreta vuestro gesto de amistad como un signo de debilidad. Vosotros le sonreís y ella piensa: «Sonríe porque me tiene miedo: debo aprovechar para aplastarlo completamente». Por eso incluso si sonríe a su vez, incluso si parece amigable, conserva toda su agresividad y determinación de continuar la lucha. Y, puesto que está convencida de que eres débil y medroso, la próxima vez duplicará sus pretensiones.

Con estas personas la paz es sólo aparente. Cada acto vuestro de amabilidad, cada favor que hacéis duplica su deseo de aplastaros. En la historia hay muchos personajes siniestros de este tipo. Como Hitler. Éste empezaba con una agresión. Cuando los otros reaccionaban se detenía pero, en cuanto se había llegado a un acuerdo, lo interpretaba como una señal de debilidad y hacía nuevas reivindicaciones.

En 1938 invadió Austria. Frente a la reacción de los Aliados, aceptó el acuerdo de Múnich. Pero lo interpretó como un signo de debilidad e, inmediatamente después atacó Checoslovaquia.

No es preciso pensar que estos personajes existen sólo en los libros de historia. Están en las empresas, en las oficinas públicas y en las universidades. Son personas devoradas por la codicia y la ambición, incapaces de captar las reales intenciones de los demás. Sólo piensan en sí mismos, en su propia afirmación y en su propio poder. Lo conciben todo en términos de conquista. Donde llegan colocan sólo a sus partidarios y persiguen a aquellos que no obedecen ciegamente su voluntad. Si se comportan de manera amigable, lo hacen para engañar, para debilitar y para embaucar.

Para reconocerlos no miréis su rostro sonriente. Mirad sus actos. Os percataréis de que siempre piden, de que no dan nada. De que son vengativos y despreciativos con los débiles y despiadados con los derrotados. Recordad que, cuando decís que sí, ellos os desprecian y se preparan para duplicar sus exigencias. La única defensa es espaciar los contactos, evitarlos y, finalmente, decir siempre que no.

Quien dice «no se puede»

A todos os habrá pasado tener un superior, un directivo o un funcionario que ante cualquier propuesta o proyecto, lo primero que suele responder es que «no se puede». Cuidado, no dice, como haría un amigo, que lo siente, que no puede, no está en condiciones, no es capaz. No, la suya es una afirmación autoritaria e inapelable, apoyada en razones técnicas frente a las cuales os sentís desarmados. El médico os mira con compasión. El ingeniero os hace sentir un hombre de la edad de piedra. El político os explica, sonriendo, que se trata de una solicitud irrealizable en el actual contexto político. El financiero os demuestra que es un mal negocio. El burócrata enumera reglamentos insuperables. El jurista os aniquila con citas de leyes. Cada uno os aplasta con su sabiduría, con el terrorismo cultural.

Luego descubrís, en otras ocasiones, que esa misma persona había hecho exactamente lo mismo que os ha negado. Que «se podía». Que existía una vía rápida, eficaz y viable. Pero la usó sólo cuando le venía bien, por ejemplo cuando estaba en juego su interés, el de su hijo o hija, de un amigo o de uno de sus protegidos. Aquella frase categórica «no se puede», valía sólo para vosotros, servía para impedir vuestras aspiraciones, no a las de otros. Tangentópolis ha demos-

111

trado, sin sombra de duda, que muchísimos políticos y burócratas decían «no se puede» sólo para obligar a sus interlocutores a entregar dinero, a pagar el soborno. Después de haber pagado, aquello que era imposible se volvía facilísimo.

Pero la gente dice «no se puede» también por otro motivo: para afirmar su poder. Cuando un hombre carente de fantasía y de iniciativa, mediocre y asustadizo, alcanza una posición de poder, ¿cómo hace para conservarla? Creando obstáculos e impedimentos a los demás para frenar su ascenso y para obligarlos a inclinarse ante él. Frente al inventor o al creador, el mediocre tiene un insoportable sentimiento de rencor y de envidia. Entonces hace lo que sea para ponerle obstáculos, para dañarlo y humillarlo. ¡Vosotros no podéis imaginar la exultancia del mediocre que consigue detener al genio! El director Forman nos lo ha representado estupendamente en la película *Amadeus*, donde el compositor Salieri dedica su vida a odiar y destruir a Mozart. Pero también existe el director de periódico envidioso del periodista famoso, el editor receloso del escritor y el profesor que no soporta el éxito de su alumno.

Sucede, empero, que con el tiempo el creador, el innovador, con tanta tenacidad como fuerza de ánimo, continúa igualmente y consigue vencer todos los obstáculos. Entonces el mediocre, cuando entiende que ya no puede oponerse, cambia de estrategia. Se adelanta y lo abraza, dice que ha estudiado el problema día y noche y le ha encontrado solución. Aquella solución que, en realidad, ya conocía desde el principio. Así recibe también agradecimientos y elogios. Muchas placas y monumentos conmemorativos no recuerdan al inventor, sino a quien le había puesto obstáculos.

Por eso es preciso desconfiar de la gente que siempre dice «no se puede». Cada vez que encontréis a uno de ellos, podéis estar seguros de que se trata de una persona desleal y falsa, capaz de mentir obstinada y repetidamente. Recordad que incluso en las situaciones más difíciles siempre hay algo que puede hacerse. Basta arrojarse a la tarea con empuje y con entusiasmo, empleando todo el ingenio que se tenga. Quien no lo hace y además bloquea las investigaciones de los otros, casi siempre tiene un motivo sórdido. Sea el ansia de poder, el interés personal, la envidia o los tres motivos juntos.

El centralizador

Hay dos modos opuestos de dirigir una empresa o una organización. El primero se basa en la descentralización y el otro en la centralización. En la descentralización el jefe distribuye el trabajo por realizar entre los distintos directivos y empleados y los invita a organizar su sector, considerándolos responsables de los resultados. El centralizador, en cambio, no delega nada: se considera el único jefe, el único responsable, el único con poder de decisión. Los demás sólo son subordinados y tienen un solo derecho, el de consentir y de obedecer. El centralizador manipula leyes y reglamentos, se reserva de derecho de intervenir en cualquier decisión tomada, y se entromete continuamente en el trabajo de sus colaboradores. Éstos deben dirigirse siempre a él para que apruebe su labor y dependen completamente de su arbitrio.

La empresa moderna está fundada en la descentralización. Sería imposible hacer funcionar una gran organización, donde se desempeñan personas con muy diversas competencias, si cada uno no tuviera una esfera de autonomía y de responsabilidad.

La centralización es un método arcaico. Se lo encuentra todavía hoy en empresas en fase de crecimiento expansivo, cuando todo está aún en manos del creador y nadie puede aguantar su ritmo. Pero en una empresa consolidada y estructurada, la centralización sólo indica que el viejo propietario o el viejo director quiere conservar su poder y su prestigio con uñas y dientes. En efecto, el centralizador tiene sobre todo un objetivo: demostrarse a sí mismo y a los demás que es indispensable, que sin él todo se detiene, que el mérito de todo lo que se hace es suyo.

En la reunión de dirección de un sistema descentralizado, los directivos al frente de los distintos departamentos explican la actividad realizada. Indican los objetivos que se han planteado, los métodos que han adoptado y los resultados que han conseguido. Cada uno recibe los reconocimientos proporcionales al éxito que ha obtenido. Luego el director general o el administrador delegado abre la discusión. Cada uno le hace sus propuestas, expone sus proyectos. Al final se indican las nuevas metas y el proceso vuelve a comenzar.

En realidad, también las empresas más centralizadas sólo funcionan porque los distintos directivos y empleados inventan, crean y proponen. Pero esta actividad suya no es reconocida formalmente. El centralizador deja hacer, experimentar y crear, pero luego siempre encuentra algo para reírse, criticar y modificar. Así, si uno de sus directivos trata de adquirir un mínimo de autonomía de decisión, lo detiene bloqueándole los proyectos, creándole infinitas objeciones, obstáculos e impedimentos. Sólo permite hacer aquello de lo que puede decir, orgullosamente: «Sin mí no se habría hecho, el mérito es sólo mío».

En las reuniones dirigidas por el centralizador, en consecuencia, hay un sólo protagonista: él. No da la palabra a los directivos, porque los considera simples ejecutores pasivos de sus ideas y de sus órdenes. Lo explica todo como si lo hubiera pensado, decidido y hecho por si mismo, hasta lo más insignificante. Cuidado: el verdadero centralizador puede ser fácilmente reconocido, porque en sus relaciones no distingue en absoluto entre lo que es importante, esencial, y las cuestiones de detalle. Porque su poder sobre los colaboradores y los directivos deriva precisamente del minucioso y fiscal control de los detalles.

En definitiva, el centralizador suele ser un hombre mediocre, incapaz de crear, de inventar por sí mismo, pero que usa su poder para absorber el trabajo, la iniciativa y la creatividad ajenas, para erigirse un monumento a sí mismo.

El pusilánime

El pusilánime no es sencillamente un cobarde. Existen personas que, frente a un peligro tiemblan, son presa del pánico. Personas que se espantan cada vez que deben tomar una decisión. De ellos decimos que son temerosos y frágiles.

El pusilánime, en cambio, puede ser hábil, astuto y capaz de tomar decisiones rápidas, pero sólo cuando son en su propio beneficio, para protegerse a sí mismo, para reforzar su prestigio, su poder y su seguridad. Sólo se vuelve perezoso, asustadizo y cobarde cuando debe luchar por algo que no concierne a su persona, cuando debe acudir en auxilio de alguien en peligro. Entonces calla, se esconde o, peor aún, se ensaña con él.

La principal característica del pusilánime es la de querer que las cosas arriesgadas las hagan los demás. Luego, en vez de ayudarlos y defenderlos, los deja a merced de los enemigos, hace caer sobre ellos sus propias culpas.

En la película de Kubrick, *Senderos de gloria*, con Kirk Douglas, cuya acción transcurre durante la Primera Guerra Mundial, un general ambicioso ordena a sus soldados asaltar una fortaleza inexpugnable. Éstos, en cuanto salen de las trincheras, son aniquilados por las ametralladoras enemigas. Los pocos supervivientes retroceden. El general, entonces, los hace bombardear por la propia artillería. Luego los acusa de deserción y tras un proceso amañado, los hace fusilar. Este general es un pusilánime, porque no asume la responsabilidad de sus acciones. Empuja a los soldados al asalto, minimiza el peligro y promete su apoyo. Pero, en cuanto las cosas se agravan sólo se preocupa de su carrera. Para no ser acusado de incompetencia, falsifica los hechos, amaña las pruebas y hace fusilar a unos inocentes.

El pusilánime es un egoísta cínico, que saca ventaja de la iniciativa y del coraje de los demás, y los sacrifica en cuanto está en juego la propia seguridad. Teme perder sus comodidades, sus privilegios y su prestigio. Tiene miedo de las personas activas y valerosas que persiguen un ideal. Las odia porque le recuerdan su pereza moral y porque las considera peligrosas competidoras, pues son apreciadas, admiradas y amadas por los demás. Las soporta mientras le sirven, pero sólo espera la hora de desembarazarse de ellas.

La sociedad está llena de pusilánimes que ocupan posiciones de poder. Esto contrasta con lo que prefiere creer la gente. En el imaginario popular el jefe es una figura noble y valiente. Señala la meta, afronta los peligros, toma las decisiones y asume sus responsabilidades. Elige a los mejores colaboradores. Si los envia a una acción arriesgada, luego los apoya y los defiende. A menudo, en cambio, en la cúpula de las organizaciones encontramos a personajes poco fiables y pusilánimes. ¿Por qué?

Porque el pusilánime nunca arriesga nada. Se abre camino con prudencia y astucia. Manda al frente a los otros y luego, si las cosas marchan, se apropia del mérito. Y descarga sobre ellos los fracasos cuando algo no ha funcionado. Puesto que teme a las personas inteligentes y activas, las mantiene apartadas haciéndoles la vida imposible. Las utiliza cuando le sirven, pero emprende lo que sea para debilitarlas en cuanto comienzan a tener crédito y prestigio. Les hace promesas en privado, que luego niega en público. Poco a poco las agota y desgasta. Se rodea de cortesanos serviles. De este modo se mantiene siempre en el poder, en el cargo.

El coste corre a cargo los demás. En una empresa, cuando los mejores se marchan, las cosas van de mal en peor hasta la quiebra. Si ocurre en el ámbito político, los que pagan son los ciudadanos.

El agresivo

Todos tenemos enemigos, aunque a menudo no lo sabemos. Personas a las que fastidiamos por nuestro éxito, o porque constituimos un obstáculo para su carrera, o sencillamente por envidia. No nos percatamos de su rencor porque deseamos sentirnos amados, apreciados y por eso tratamos de no ver los síntomas de animosidad respecto de nosotros. Pero siempre se pueden ver estos síntomas porque nadie, ni siquiera el más hábil comediante, consigue mantener ocultas sus pasiones profundas.

Un síntoma de agresividad es el hecho de no expresar nunca un elogio. Cuando un amigo aprueba unas oposiciones o recibe un premio estamos felices, lo festejamos, lo abrazamos y lo elogiamos delante de todos. La persona agresiva no se comporta de este modo. Si habéis tenido un gran éxito, busca la manera de no encontrarse con vosotros. Cuando os ve, no os abraza y elogia, sino que se pone a hablar de una injusticia que ha sufrido o de un acontecimiento trágico que ha visto por televisión. En suma, cambia de tema, evita cuidadosamente la alabanza.

Creedlo, cuando alguien que os conoce, que os trata, que dice que es vuestro amigo, no os elogia, quiere decir que tiene un soterrado rencor hacia vosotros.

Verdi iba a la Scala a ver las óperas de Puccini y las seguía con la partitura en la mano. Pero de su boca nunca salió un elogio. ¿Por qué? Porque lo consideraba un rival y no quería ofrecerle un reconocimiento.

Otros revelan su agresividad con una ocurrencia irónica, que según ellos sería simpática y, en cambio, es sólo malévola. Una colega mía, cuando entra en un lugar donde está mi mujer, la ignora y luego, cuando se la encuentra cara a cara y no puede evitarla, exclama sorprendida: «¡Oh, disculpa, no te había visto!».

Otra, cuando está enfadada conmigo, encuentra la manera de no darme la mano. Dice que se ha ensuciado de tinta o que tiene en la mano algún objeto que no puede soltar. Pero también el modo en que la persona os ofrece la mano puede ser un buen síntoma de agresividad. Os ofrece sólo la punta de los dedos, un contacto huidizo y basta.

Cuando alguien os tiene rencor, muy a menudo, cuando os encuentra, se lamenta y os reprocha: «No has hecho esto, no has hecho aquello». Vosotros tratáis de justificaros, le concedéis todo lo que pide, os comprometéis, tratáis de calmarlo. Pero no sirve de nada. La próxima vez tendrá nuevos reproches y quejas.

Otros manifiestan su animosidad dándonos malas noticias o contándonos, con abundancia de detalles, las peores maledicencias que han oído sobre nosotros. Nosotros los escuchamos pensando que lo hacen por nuestro bien, para ponernos en guardia de los peligros. No es verdad. Lo hacen por el placer de vernos disgustados, enfadados y de mal humor. Yago era feliz viendo a Otello consumido por los celos.

Cuando no os golpea directamente a vosotros, quien os odia encuentra a menudo el modo de herir o de atribuirle un papel desagradable a un amigo vuestro o alguien a quien amáis. Es una especie de «venganza transversal» de tipo mafioso. Desconfiad de quien habla mal de vuestros amigos y de quien cuenta chismes sobre vuestros allegados.

Cuando os odia alguien que tiene un poder sobre vosotros, os crea continuamente obstáculos. No prestéis atención a sus explicaciones. Se justificará citando leyes, reglamentos, derechos, deberes y prioridades. Todo eso son excusas. Quien os quiere encontrará siempre el modo de ayudaros. Si, en cambio, hace objecciones, os frena y pone obstáculos, es porque está lleno de rencor.

Un último síntoma del odio es la mentira. Quien os odia y no quiere demostrarlo, está obligado a fingir que es vuestro amigo.

Hará declaraciones de simpatía y promesas, contraerá compromisos solemnes. Pero luego no los cumple. Cuando se lo hagáis notar, encontrará mil excusas, fingirá estar aturdido, distraído y desmemoriado. Pero, en realidad, lo recuerda todo muy bien, lo ha planificado todo con fría lucidez.

El depredador

Siempre han existido hombres que han realizado aquello que los demás a duras penas eran capaces de soñar: casas en las que refugiarse, naves con las que pescar, con las que recorrer el mar, puentes, carreteras, comercios y ciudades, y también reformas de la sociedad, principios morales e ideales universales.

Pero, cada vez que han difundido sus ideas, cuando han tratado de realizar sus proyectos, han encontrado la oposición de todos aquellos que se conformaban con vivir como siempre habían vivido, aferrados a las costumbres. De todos aquellos que temían perder su *status*, su prestigio y su poder.

Durante miles de años, en la prehistoria, no hubo progreso porque todos los cambios eran tabúes y el transgresor era desterrado o asesinado. Pero también en la época histórica las mutaciones fueron lentísimas. En la India quien nacía en una casta debía ejercer exactamente el mismo trabajo que su padre. En Europa los oficios estaban regulados por los gremios.

¿Cómo ha sido posible, entonces, el cambio y el progreso? La razón es que cada tanto, las aristocracias, los sacerdotes, los ancianos y los guardianes del orden constituido, eran obligados a aflojar su vigilancia y aceptar la innovación. ¿Cuándo? En momentos de peligro, en casos de guerra. O bien cuando se percataban de que podían obtener una enorme ventaja de ello. Los chinos se abrieron a la tecnología occidental sólo después de la guerra del opio. Los reyes de Castilla y de Aragón financiaron a Cristóbal Colón para enriquecerse.

La hostilidad hacia los creadores, no nos hagamos ilusiones, ha continuado hasta nuestros días y aún continúa. Los grandes científicos, Galileo, Jenner, Pasteur, Darwin y Freud han sido atacados y vituperados de todas las maneras posibles. Mozart y Puccini han sido enfangados, a pesar de que habían creado músicas divinas.

A Hertzl, el fundador del movimiento sionista y, por tanto, el padre espiritual del Estado de Israel, todos le pusieron obstáculos, y en particular los financieros judíos. Los mismos que pusieron obstáculos al movimiento, que insultaron a sus promotores, más tarde sacaron partido de sus obras. Gracias a ellas han conquistado gloria, riqueza y honores.

Los innovadores que han obtenido riqueza y reconocimientos, lo han logrado porque han sabido crearse una fuerza, una organización y un poder. Mahoma no se limita a predicar el monoteísmo islámico, sino que construye un Estado y libra numerosas guerras.

Freud crea la Sociedad psicoanalítica. Bell y Edison explotan sus patentes y crean un imperio económico. También Marconi lo consigue marchándose a Inglaterra. Mientras que el pobre Meucci, inventor del teléfono, se ve despojado de todo y enloquece. Como también Semmelweis, el hombre que salvó a las mujeres de las infecciones por parto.

Los grandes innovadores altruistas, los «profetas desarmados», tuvieron un destino trágico. Puesto que no se prestaron al juego de los poderosos y no organizaron fuerzas de resistencia, se encontraron indefensos frente a los odios, los ataques, a las calumnias de los codiciosos, frente a los envidiosos y, finalmente fueron perseguidos y asesinados. Como Sócrates, como Jesucristo, como Hus, como Mazdah, como al Alá, como el Bab, como Gandhi y como Rabin. Los hombres más nobles del mundo, los más generosos, tuvieron como última recompensa la soledad, la ingratitud y la muerte.

Y este destino, si lo pensáis bien, es el de cualquier persona, también el vuestro, cuando hacéis algo generoso, sólo por los demás, con ánimo puro. Los codiciosos y los hipócritas no os creen, os ponen obstáculos y luego os explotan. ¿Entonces por qué lo hacéis igualmente? Porque, por desgracia, hay algo en el ser humano que va más allá del egoísmo natural, una fuerza añadida que os impulsa a superar el mal existente, a mejorar el mundo. A completar la obra de la creación.

El inconstante

Todos dependemos de los otros, de los padres, de los profesores y de los superiores. Y querríamos que el jefe nos guíe con mano segura, que nos transmita fuerza y certidumbre. Desearíamos que fuese sereno, ecuánime y justo. En cambio, muy a menudo, nos encontramos relacionados con superiores que son exactamente lo contrario, inestables y caprichosos. Y a veces tenemos la impresión de que ellos consideran una prerrogativa del poder la posibilidad de ser imprevisibles y volubles.

Recuerdo una gran empresa en la que todos escrutaban el rostro del gerente, cuando entraba en la oficina por la mañana, para descifrar su humor. Si tenía el ceño fruncido era mejor no dejarse ver, era inútil presentarle proyectos, porque acabaría por rechazarlos. Y recuerdo otra empresa en la que el director general era tan inestable que sus empleados llegaban a bromear sobre sus cambios de humor y sus estallidos de cólera. Hacían apuestas sobre ellos.

Pero los lugares donde es más fácil encontrar este tipo de personajes son aquellos donde los ciudadanos se encuentran en una situación de dependencia. Como en los hospitales, los tribunales y las escuelas. Observad a ese médico. Es fatuo. Da vueltas por los pasillos enfurruñado y arisco. Si lo detenéis os responde de manera desairada. En los diálogos con los pacientes y con los familiares algunas veces escucha y da explicaciones. La mayoría de las veces, en cambio, mientras le hablas, se vuelve hacia otra parte, o te mira como si no te viera ni escuchara. Luego responde bruscamente y te despide con una expresión descortés. Todos se le acercan indecisos porque nunca saben cómo reaccionará.

Estamos en una oficina pública. Observad a aquel funcionario. Tiene la mirada ausente. Sólo saluda a las personas a las que considera de grado superior o equivalente al suyo. Se ve que trabaja para hacer carrera. El público, para él, es sólo un incordio. Se ocupa de él porque no tiene otra opción. Trata a todos de manera expeditiva y distraída. Comienza a responder y de pronto se aleja, charla con un colega, telefonea, regresa y hace que le vuelvan a repetir las cosas, hastiados. Transmite una impresión de inestabilidad, de indiferencia y de arbitrariedad.

Ahora nos situamos en una universidad. Aquel profesor, a simple vista, es cordial y sonriente. Establece una relación de complicidad con sus colaboradores y con los estudiantes. Pero tiene repentinos cambios de humor. Asigna una tarea a alguien e inmediatamente después la modifica sin motivo. Exige un escrito en pocos días y luego lo guarda en un cajón sin mirarlo durante tres meses. Cuando te lo devuelve dice que no le sirve porque ha cambiado de idea. Amonesta de mala manera a sus ayudantes. Cada tanto expulsa a alguno. Los otros viven aterrorizados, pero se callan.

¿Qué le impulsa a ese profesor a actuar de este modo? El gusto de saborear la sensación de fuerza y seguridad que nace del ejercicio del poder en su forma más pura y primordial. El poder absoluto es aquel que no está sometido a ninguna ley. Ni siquiera a las leyes de la lógica y de la coherencia. El déspota no debe dar explicaciones y justificaciones. Haga lo que haga siempre tiene razón. Mantiene a los demás sometidos, temblorosos o furiosos por la impotencia. En aquel momento se siente omnipotente, una divinidad. Para nuestra desgracia.

El que conspira

Entre los trepadores en las empresas, en las organizaciones y en la escuela, quiero describir un tipo humano que por su naturaleza huidiza a menudo no es reconocido. Posee tres características inconfundibles que nos permiten identificarlo si las juntamos.

Primera característica. Está siempre en guerra contra alguien y no está en paz hasta que no lo ve destruido. Es un impulso indomable. En cuanto ha ganado una batalla, se busca a otro enemigo y queda absorbido completamente por la nueva lucha. Pone los ojos en quien está por encima de él, en quien pueda ponerle obstáculos o incluso en quien no lo obedece ciegamente. Primero es una inquietud, luego una obsesión. Entonces comienza una nueva maquinación para aniquilarlo y, para conseguirlo, involucra a todos, sin tregua ni reposo. Es implacable ¿Qué lo empuja? Como todos los seres humanos quiere emerger, destacarse y ser elogiado. En efecto, es jactancioso, habla bien de sí mismo y presume de su pericia. Pero al ser incapaz de crear y de construir, trata de afirmarse ejercitando un dominio total sobre los demás. Sobre sus comportamientos, sobre sus pensamientos, sobre todo.

Segunda característica. Para escalar se coloca en el séquito de personas poderosas, geniales y creativas. Pero es corroído por la envidia, por el deseo de ocupar su puesto o de dominarlas. Y no puede evitar conspirar. No lo hace a partir de un razonamiento lógico, sino como un acto compulsivo. No es preciso imaginarse un personaje tenebroso, huidizo, o con mirada de fanático. Al contrario, de costumbre es alegre, jovial y amigable. Se pone de manera entusiasta de vuestra parte, os ayuda. Crea un clima de simpatía y de complicidad. Luego, en nombre de la amistad y de la confianza, comienza a poneros en guardia contra ciertos enemigos. Os abvierte que aquél habla mal de vosotros, que aquel otro intriga para quitaros el puesto. Es un maestro en crear ansiedad, en evocar peligros, en indicar adversarios. Vosotros comenzáis a mirar a vuestro alrededor con preocupación. Y siempre lo encontráis a vuestro lado, indicándoos cuáles son las personas con las que podéis contar y cuáles son las peligrosas. Así, poco a poco, os arrastra a ver las cosas desde su punto de vista, os empuja a combatir contra quien él designa como contrincante.

Shakespeare ha representado a este personaje de manera magistral en la figura de Yago. Yago no puede evitar manipular a Cassio, Desdémona y Otello hasta la ruina total, propia y ajena. A quien le pregunta por qué lo ha hecho, responde «no lo sé».

Tercera característica. Para seducir a las personas con las que quiere congraciarse y para destruir a aquellas a las que odia, estudia con atención sus deseos y sus puntos débiles. Es extremadamente vigilante y receloso. Se las ingenia para identificar en seguida a quien puede traicionarlo o denunciarlo. Para conseguirlo colecciona chismes, habladurías y rumores. Si tiene posibilidades, organiza un verdadero aparato de espionaje. Hace que sus fieles le cuenten todo lo que sucede y qué dice la gente. Hace que escuchen llamadas telefónicas o detrás de las puertas. Luego inventa patrañas y calumnias que debilitan a sus adversarios y las hace circular como hechos ciertos. Ataca a sus adversarios en el plano moral, suscita recelo e indignación en torno a ellos. Puesto que es infatigable y convincente, logra crear una verdadera movilización contra ellos. Y nadie sospecha de él.

7

Dudas morales

Existe una contradicción entre la ley de la lucha y de la violencia que domina la vida y la ley moral que sentimos surgir espontáneamente en nuestro corazón. Debemos combatir, defendernos y derrotar a los adversarios para sobrevivir y para afirmarnos. Pero al mismo tiempo nos damos cuenta de que actuando de este modo contribuimos al mal en el mundo. ¿Cuál es entonces el coraje más elevado? ¿Aquel que nos empuja impávidos a la lucha o aquel que nos refrena conscientes del mal y del dolor que causamos?

Violencia

La violencia domina indiscutiblemente en la naturaleza. Los seres vivos se devoran unos a otros. También el hombre es violento. Su historia es una sucesión de guerras y de masacres. La violencia fue cantada por los poetas y santificada por los sacerdotes. Sin embargo, muchos hombres han llegado a la conclusión de que la violencia es nociva y se han preguntado cómo detenerla o atenuarla. El fiel jainista va con un pañuelo sobre la boca para no matar involuntariamente ni a una mosquita. Cristo dijo que amáramos a nuestros enemigos. San Francisco se encaminó desarmado entre los musulmanes.

¿Pero cómo se puede evitar la violencia cuando nos tropezamos con personas que no nos quieren, que nos insultan, que nos agreden, que nos quieren destruir? ¿Cómo hacemos para no provocar sufrimiento cuando incluso para realizar nuestros proyectos más desinteresados topamos inevitablemente con la ignorancia, los hábitos y los intereses de otras personas?

El dilema ante la violencia y la no violencia ha sido planteado con claridad en el famoso poema indio, el *Bhagavadgītā*, incluido en el sexto libro del Mahābhārata. Está a punto de empezar la batalla entre los ejércitos Pandava y Kaurava, una batalla entre amigos y parientes, una batalla de exterminio.

El príncipe Arjuna, que debe dar la señal para comenzar, se detiene porque le parece un acto monstruoso. Baja del carro de combate y dice que prefiere ser matado antes que cometer una acción tan malvada. Entonces el dios Krishna lo convence para que combata, explicándole que la acción es indispensable y que será él mismo quien de hecho, actuará. Pero le impone actuar sin pasión, sin odio.

Es una primera respuesta: actuar con ánimo distanciado y desinteresado. Pero con ánimo distanciado y desinteresado se pueden cometer los actos más atroces. Incluso apretar el botón que hace explotar una bomba atómica. Todos los criminales de guerra se han defendido diciendo que han actuado sin odio, sólo por deber, cumpliendo órdenes superiores.

Se necesita, por lo tanto, algo más, se necesita la buena intención. Un día, el rabino Jochanan ben Zaccai preguntó a sus discípulos cuál era la recta vía a seguir. Eleazar le dio la respuesta exacta: «Un buen corazón».

Excelente respuesta; sin embargo, nosotros conseguimos manipular también la intención. Poco a poco, a través de una sutil acción de persuación de nosotros mismos, llegamos a esconder los verdaderos motivos de nuestra conducta: la ambición, el interés, el odio y la venganza. Nos convencemos de que somos movidos sólo por el deseo de hacer el bien, por altruismo. Sartre llamaba a esa actitud falsa conciencia. La vemos perfectamente en algunos políticos que rezuman satisfacción porque se sienten honestos, generosos y justos. Incluso el gran inquisidor Torquemada pensaba que era benévolo, pues trataba de salvar el alma inmortal de aquellos a los que condenaba a la hoguera.

Cualquier virtud es automáticamente destruida por la complacencia de poseerla. Dentro de nosotros actúan siempre miles de impulsos negativos. ¿Quién puede decir que su propio ánimo es absolutamente puro? ¿Quién puede decir que no es culpable? Nadie. Si me complazco de ser virtuoso, generoso y justo, me miento a mí mismo y me convierto en orgulloso y soberbio.

Sin embargo, existen personas generosas, que se desviven por los otros y corren en su ayuda. Cuando son líderes, demuestran sensibilidad, respeto por los sentimientos y los valores de sus interlocutores. Guían sin forzar, corrigen sin ofender y socorren sin humillar. Y son humildes, saben disculparse y reconocer sus errores. Quizá el «buen corazón» del que habla Jochanan ben Zaccai es esta forma de inteligencia moral.

Amigo-enemigo

Hay dos tipos de amor profundamente diversos. Uno es puro amor, sin agresividad. No precisa de un enemigo exterior. El otro, en cambio, requiere de un enemigo exterior, se alimenta del temor y del odio por un enemigo.

El amor por el hijo, el padre, la madre, el enamorado, la mujer o el marido, el amor por el amigo son del primer tipo. En cambio, el amor a la patria, el amor al partido, el amor a los propios soldados en guerra y el amor político son del segundo tipo.

En las guerras, cuanto más se odia al enemigo, más se ama al amigo, y viceversa. Los serbios odian a los croatas y a los musulmanes, torturan a sus hombres, violan a sus mujeres. Pero se quieren entre sí, están despuestas a sacrificarse el uno por el otro. Sufren cuando uno de ellos sufre, lloran a sus propios muertos.

Y hay otra profunda diferencia. Lo comprendí cuando de pequeño vi un dibujo en «La domenica» del *Corriere*. Fue en plena Segunda Guerra Mundial. Los italianos eran aliados de los japoneses contra los ingleses. El dibujo mostraba a los cortadores de cabezas de Borneo que atacaban a los ingleses. El comentario elogiaba a los nuevos y heroicos aliados contra el enemigo común. Entonces me di cuenta de que «amigo», en la guerra, no es aquél a quien aprecias o estimas por sus virtudes. Amigo es sólo quien se pone de tu parte. Puede ser el peor delincuente, un cortador de cabezas, alguien que hasta hace un instante te suscitaba horror. Pero, en el preciso momento en que se asocia contigo, con los «tuyos», todos sus defectos se transforman en virtudes, en méritos. Y un milagro análogo se repite cuando alguno de los nuestros se pasa al otro bando. Entonces, de golpe, su personalidad se vuelve repelente y antipática, y debes dispararle encima.

También en la política amigos y enemigos son sólo fragmentos de dos colectivos en lucha. Creo que emito un juicio personal, fundado en experiencias personales, sobre un determinado individuo. Pero no es cierto. Yo no lo conozco y él no me conoce. Ni él ni yo somos individuos. Sólo somos los instrumentos pasivos de decisiones colectivas. Si nuestros partidos se alían, tengo simpatía por el aliado, lo abrazo, siento afinidad con su alma. Si nuestros partidos se separan, me parece poco fiable, repugnante. ¿Pero qué tipo de amistad es ésta que varía en un instante? Aquel individuo sigue siendo el mismo, no ha cambiado.

La verdadera amistad, por lo tanto, sólo puede ser personal. Sólo puede ser construida sobre la base de nuestra historia individual, excluyendo los humores colectivos. Quiero a mi amigo porque me ha demostrado su afecto, porque me ha ayudado en un momento de necesidad, ha escuchado mis confidencias y ha guardado mis secretos. Me ha dado pruebas de su valor, de sus cualidades y de sus virtudes. Mi juicio sobre él, mi amor por él no dependen de decisiones, alianzas y manejos ajenos. Entonces me mantengo fiel. Y si él me es fiel lo es por elección personal, íntima, sin otros factores.

Amistad personal y amistad política, por tanto, son profundamente diversas. De costumbre, escogemos a nuestros amigos dentro del mismo horizonte social y político en el que estamos integrados. Pero cuando estallan conflictos políticos profundos, los amigos, los hermanos, se separan, se vuelven extraños, enemigos. Y son pocos los que consiguen mantener la política alejada y neutralizada. Son los que conservan la capacidad de ver en el otro la persona humana y no la imagen reflejada de una ideología o de un partido.

137

Otro coraje

¡Cuánto odio he sentido en tus palabras, amigo mío! Me has explicado qué indigna, infame y merecedora de muerte es aquella persona. No, no me he espantado. Y tampoco soy menos amigo tuyo que antes. Sólo he sentido una gran tristeza y esa misma sensación de vacío que tenía, de pequeño, cuando oía a mi alrededor el odio político de los mayores. Mientras todos aplaudían a los soldados que partían hacia el frente, yo percibía la maldad que había en sus fusiles. Sentía la perversidad que se transparentaba en sus relatos. La percibía en el rumor de los motores de los aviones y en el chirrido de los tanques. La captaba tanto en los cantos y en los himnos triunfales como en los disparos de la guerra civil. Sentía que la maldad existía, aún antes de la orden de matar, antes de la ocasión de hacerlo. No hay justicia ni en la política ni en la guerra. Cada uno acusa sólo la brutalidad del adversario. Cada uno llora sólo a sus muertos.

A continuación me pregunté cómo se habría comportado un democristiano si hubiera podido aniquilar, de un plumazo, a todos los comunistas, y un comunista si hubiera podido hacer desaparecer a todos los democristianos. Tanto uno como el otro lo habrían hecho. En efecto, los norteamericanos preparaban un arsenal nuclear suficiente para exterminar a los rusos, y los rusos a los norteamericanos. Detrás de los más nobles

138

ideales siempre he percibido esta violencia como en Trento, cuando un querido amigo, un chico afable, me decía: «Quiero matarlos a todos, disparándoles en la barriga». Y creo que lo habría hecho, como todos.

Ves, amigo mío, siempre he formado parte de esa minoría consciente de que todos estamos impregnados de violencia. Sabemos que el odio intoxica tanto los libros sagrados como los profanos. No nos hagamos ilusiones. Pero, a pesar de esto, no aceptamos la violencia. Piensa en Pitágoras y en Mahavira. Vivimos en el mundo como emigrantes en un país extranjero. ¿Cómo consiguen sobrevivir si no entienden la lengua, si no pueden participar a fondo en sus actividades? Miran los rostros en busca de alguien que les sonría, que se comporte con ellos con paciencia, tolerancia y dulzura. Entonces son felices y les están agradecidos. Saben muy bien que la mayor parte de la gente es indiferente, egoísta y brutal. Pero también saben que hay almas buenas y que todos, en un momento u otro, pueden ser amigos. Porque cada ser humano, incluso un criminal, por violento que sea, puede ser a veces benevolente y amable. Es sólo cara a estas personas, cara a estos momentos de sencilla bondad cuando actúa.

Nosotros, igual que los emigrantes, los vagabundos, los pobres que piden limosna, sólo contamos con estas pizcas de bondad, y tratamos de evitar el resto. Retenemos los gestos que manifiestan el bien y no nos dejamos espantar por la maldad, pues sabemos que está por doquier. No creemos que el mundo pueda ser redimido con una batalla política, con una ley o con una guerra. No pretendemos salvarlo. Sólo tratamos de hacer vivible el lugar en el que vivimos, de hacer más dulce la vida de los amigos, de ser imparciales, de ayudar a alguien.

Por eso, ves, no entro en liza. Porque debería empuñar una espada, porque debería matar, y acabaría creyendo que también yo soy un héroe valiente. Eso no es coraje. El coraje es levantarse cada mañana sabiendo que debes enfrentarte a un mundo malvado, y conservar el ánimo sereno para hacer algo de bien sin contar con el reconocimiento de nadie.

Reconocimiento

Todas las relaciones de trabajo están reguladas por contratos según los cuales la retribución es proporcional a la actividad desarrollada. Cuando el contrato se rescinde, desde el punto de vista legal nadie debe nada al otro, no tiene ni deudas ni créditos de reconocimiento.

En realidad, los seres humanos se dividen en dos categorías. Aquellos que dan más de lo que está previsto en el contrato, y aquellos que dan menos. Hay los que, una vez asumido el cargo, se identifican con la empresa, se entregan, se prodigan, están siempre disponibles, estudian, observan, aprenden e inventan nuevas soluciones. Y hay otra categoría de individuos que, aun respetando el contrato, sólo hacen el mínimo indispensable. Toman todos los días festivos y todos los permisos de maternidad o de enfermedad, se van en el preciso instante en que acaba el horario de trabajo y ya no le dedican un solo pensamiento. No se dejan involucrar, no estudian ni se preocupan por innovaciones.

Desde el punto de vista legal ambos cumplen con su deber. Pero, desde el aspecto de la vida social, hay una diferencia abismal entre ellos. Todas las organizaciones humanas, las empresas, el ejército, la magistratura, los hospitales, los centros de investigación y los ministerios, sólo funcionan porque existe el primer tipo de personas. Son éstos los que arrastran a los demás, corrigen sus errores, resuelven los problemas, afrontan las emergencias, inventan y crean. Muchos empresarios deben su riqueza a personas de este tipo.

¿Cómo se recompensa este trabajo extracontractual, este «más» que ellos dan libremente? No con dinero, porque los contratos son los mismos para ellos que para los demás. En parte se recompensa con ascensos. Pero no siempre. Hay actividades que no permiten ascender a cargos directivos y donde la cúpula es cubierta con otros criterios. Estos trabajadores que dan «más» son recompensados reconociéndoles autoridad, prestigio y estima. El propietario escucha con atención su parecer, los más altos directivos los tratan con consideración y los elogian públicamente. Son como esos soldados o suboficiales cargados de medallas a los que incluso el general mira con respeto.

Pero son todos reconocimientos informales, confiados a las relaciones entre personas, al recuerdo. Puesto que las empresas son entidades que se renuevan, llegan nuevos propietarios que colocan a personas de su confianza. Se nombran nuevos directivos que no sienten ninguna deuda de reconocimiento hacia ellos. Se introducen cambios organizativos que hacen inútil su trabajo. Y si alguien se siente dolido, si se lamenta, le recuerdan que nadie le debe nada. Que sólo ha cumplido con su deber. Y que los otros respetan el contrato.

Casi todas las personas que en su vida han contribuido de manera decisiva al éxito de una empresa, tarde o temprano tienen esta amarga experiencia de injusticia y de ingratitud. Y se preguntan si no habrían hecho mejor actuando como los demás, haciéndose pagar en dinero cada esfuerzo o exigiendo promociones oficiales, en vez de conformarse con las palabras de elogio, con la estima y con el respeto. Porque el dinero queda, mientras que el mérito es olvidado.

Sin embargo, este lamento, desde el punto de vista moral, es equivocado. Nuestro objetivo en la vida es hacer, crear, empujar hacia adelante el mundo, aunque no saquemos ningún beneficio de ello ni obtengamos reconocimiento. Una leyenda judía cuenta que Dios conserva con vida la Tierra sólo por los méritos de treinta y seis hombres justos a los que nadie conoce. La esfera moral tiene su propia lógica, su jerarquía y sus valores, que viven eternamente, más allá de la riqueza y del éxito.

8

Mirar más arriba

Hay películas, músicas, situaciones sociales y personas que nos elevan, que nos dirigen hacia arriba. Nos llenan de entusiasmo, refuerzan nuestra capacidad de sentir y de entender. Intensifican nuestra inteligencia, nuestra dignidad y nuestro sentimiento moral. Nos dan empuje, fuerza vital y coraje. Nos hacen desear el bien. Encienden en nosotros una chispa divina. Las otras, al contrario, vacían nuestra inteligencia y nuestro corazón, nos idiotizan, nos envilecen y nos aplastan en el agua estancada, en el fango. El coraje es también ir en busca de lo que nos enaltece.

Profundidad

Nuestra vida se compone de dos planos. Uno cotidiano, árido, repetitivo, poco profundo e inauténtico. El segundo es más alto, intenso, vibrante y esencial. Nosotros vivimos casi siempre en el primer nivel y sólo excepcionalmente alcanzamos el segundo. Sin embargo, es sólo aquí donde tenemos la experiencia de estar verdaderamente vivos.

De costumbre, somos arrastrados por los deberes, por aquello que nos piden los otros. No hacemos las cosas porque nos interesen profundamente, sino por necesidad. Levantarse, lavarse, ordenar la casa, rellenar los formularios de la oficina, ir a la escuela y hacer los deberes. Es una especie de semioscuridad, casi de vigilia, una vida a medias. Lo mismo sucede en la cultura. Continuamente encontramos telediarios, semanarios, libros mediocres, películas y espectáculos televisivos vacíos. Nos dejamos capturar por una espasmódica actualidad. Pero ¿encontramos de verdad algo capaz de hablar a nuestra mente, a nuestro corazón? ¿Algo que nos despierte, que nos enriquezca?

Sólo excepcionalmente somos elevados al otro nivel. Cuando entramos en contacto con algo importante, esencial. Entonces la vida se vuelve más intensa y profunda, plena, hecha de espera febril, de deseo, de pasión, de entusiasmo, de triunfo y de exultancia. Nuestros sentidos se vuelven más agudos, los colores más fuertes, los sonidos más armoniosos, los olores más penetrantes y las personas más verdaderas.

Puede ser un amor que nos deja entrever, de pronto, una felicidad inimaginable y que nos empuja a custionar toda nuestra existencia. A menudo es después, cuando ha terminado, que nos damos cuenta de que sólo en aquel período de tormento y de éxtasis hemos vivido verdaderamente. A veces, en cambio, es un peligro, una lucha que nos empeña totalmente, a vida o muerte, y de la que salimos exultantes, triunfadores.

A veces es sólo una violenta emoción erótica. La trama de nuestra vida cotidiana se interrumpe lacerada por la tentación. También la tentación es un don. Y sigue siendo un don incluso si la rechazamos. Porque nos ha hecho vivir intensamente, nos ha hecho temblar, nos ha obligado a elegir con miedo, pesar y fatiga. Vivir quiere decir saber actuar de verdad, elegir con responsabilidad.

Luego están las grandes experiencias artísticas que nos elevan por encima de nosotros mismos. Nos llenan de entusiasmo, refuerzan nuestra capacidad de sentir y de entender, nuestra inteligencia y nuestra dignidad.

Pero ¿cómo se alcanza esta vida más intensa? No basta con desearla, quererla. La persona religiosa sabe que la fe no se manifiesta sola. La fe sigue siendo un don de Dios. Por eso sólo se puede rogar a Dios para que la conceda. La dimensión divina se revela sólo a quien ha sabido buscarla, a quien ha atravesado las pruebas iniciáticas y ha cumplido los sacrificios apropiados, la meditación oportuna. Es lo mismo que en la ciencia. Se comienza a tientas, se explora en una dirección y luego en otra, con paciencia y tenacidad. Hasta que aparece la solución. Así sucede también en el desafío deportivo. Meses y meses de entrenamiento, solos con nosotros mismos, con la fatiga que nos hace llorar y los músculos adoloridos. Pero hay que resistir con fuerza de voluntad, hasta que el cuerpo aprende y se hace digno del triunfo. El bailarín que da vueltas, ligero, ha tenido que ejercitar sus músculos en la barra, durante meses, durante años. El músico ha tenido que estar horas y horas ensayando cada día. El proceso iniciático es largo y fatigoso, requiere voluntad y concentración. Luego la revelación es repentina.

¿Merece la pena?

Todos nosotros, en algún momento de nuestra vida, nos planteamos la pregunta: «¿Merece la pena?». ¿Merece la pena prodigarnos, crear cosas bellas, cuando luego no son utilizadas? ¿Trabajar tanto para luego ser despachados con las manos vacías?

En la escuela el estudiante se ha preparado de manera escrupulosa porque, esta vez, quiere convencer al profesor. Pero éste ya tiene ideas preconcebidas, lo escucha distraído, está nervioso. Ante la primera inexactitud lo interrumpe, lo critica y se burla. El examen se ha ido a pique.

En las empresas uno se dedica años y años a un sector, lo desarrolla y obtiene óptimos resultados. Luego cambia el director, y su puesto es ocupado por otro. Todo su trabajo precedente es ignorado. Es como si no hubiera hecho nada, como si nunca hubiera existido.

En las obras creativas ocurre lo mismo. El mayor filósofo italiano, Giambattista Vico, vivió y murió en la más absoluta pobreza. Para que lo leyeran, regalaba su libro, *La ciencia nueva*, a los poderosos y a los sabios y se lo dedicaba. Pero nadie lo tomaba en serio. Y también hoy hay libros estupendos que no encuentran quien los publique y quien los lea, mientras que obras mediocres son celebradas.

Otras cosas se detienen en la fase de proyecto. Un amigo mío había proyectado una bellísima fuente que había ganado un concurso e incluso había sido aprobada por un referéndum popular. Luego los patrocinadores aplazaron la realización. Ya no se hizo. ¡Cuántos proyectos de bellísimas películas, cuántas ideas geniales de espectáculos televisivos no son ni siquiera tomados en consideración, para repetir en cambio cosas viejas e idiotas!

Alguien tiene confianza en el mercado. Al final, dice, el mercado siempre premia a quien se lo merece. Basta satisfacer las necesidades del consumidor, darle lo que verdaderamente precisa. No es cierto. Gana quien le da al consumidor las cosas que quiere en ese momento, aunque se equivoque. Las firmas productoras de tabaco tienen enormes beneficios, pero esto no quiere decir que al fumador le haga bien fumar.

¿Por qué, entonces, prodigarse, hacer proyectos, escribir libros, inventar o hacer prosperar una empresa, cuando todo esto no es reconocido? ¿Hay una respuesta a esta pregunta?

Nosotros participamos en la obra de la evolución. Y ésta se desarrolla por ensayo y error. Necesita de millones de proyectos, necesita tomar millones de caminos. Incluso un proyecto es una contribución a la civilización. Nadie, absolutamente nadie puede decir que sea inútil.

Por eso sentimos una necesidad interior de obrar. Incluso sin recompensa, incluso regalando nuestro trabajo. El parado no está mal sólo porque no gana dinero, sino porque se siente inútil. Maquiavelo, enviado al exilio después de la caída de la República florentina, de la que era secretario, sufría porque ya nadie lo requería. Entonces escribió sus obras fundamentales.

Pero también hay una satisfacción personal. Quien se construye una hermosa casa o un delicioso jardín, no lo hace sólo para ser admirado por los demás, sino también porque expresa su alma y siente placer por su belleza.

Por último, quien es verdaderamente experto, pese a que no obtenga el reconocimiento de los demás, sabe íntimamente que vale. Giambattista Vico sabía que había hecho una obra admirable, aunque sus contemporáneos no la entendían. Por eso tenía derecho a caminar con la cabeza bien alta entre ellos. Éste es el motivo decisivo para hacer siempre cosas hermosas y excelentes. Para tener dignidad delante de nosotros mismos y movernos con altivez en el mundo.

Sostenes

Cuando miramos a los demás, tenemos la impresión de que son estables, están seguros de sí mismos, son dueños de sus emociones. En cambio, al escrutar dentro de nosotros mismos, nos percatamos de que nuestro ánimo está en constante tumulto. Basta con un sueño y nos despertamos con una oscura sensación de angustia. Delante de una tarea difícil nos asalta el desconsuelo. Cuando tenemos éxito nos sentimos unos leones, pero basta un reproche, una mala palabra, para desmoronarnos. Si tenemos que hacernos unos análisis clínicos, pensamos en una enfermedad grave, en la muerte. Es la angustia existencial. Emocionalmente somos hojas leves a merced de la tempestad.

Tratamos de dominar esta angustia con el autocontrol, refugiándonos en el trabajo o dejándonos absorber por una actividad cualquiera, como viajar, mirar la televisión o hacer deporte. La mayor parte de las personas no soporta estar sola. Va donde se amontonan todos los demás, se mezcla con ellos en la discoteca, en la playa más abarrotada.

Luego buscamos un anclaje seguro y sólido en el amor. Porque la persona a la que amamos tiene un valor que no depende de nuestro humor o de los juicios del mundo. Una madre siempre ama y protege a su niño, en la salud y en la enfermedad. El amor nos estabiliza porque compromete nuestra responsabilidad y nuestro cuidado. Al mismo tiempo, constituye un puerto seguro en el que podemos refugiarnos. Durante las carreras de Fórmula 1, la mujer del piloto suele permanecer inmóvil junto a los boxes, firme y reconfortante. Ella, para el piloto, es el vínculo con la vida. Pero también el amor puede entrar en crisis. Los hijos no se sienten comprendidos por los padres. Los padres entran en conflicto entre sí.

Aún más frágil es la relación de pareja. Sobre todo cuando el marido y la mujer trabajan en sitios diversos, tienen horarios distintos, están ocupados lejos de casa por su carrera y se encuentran, cansados, sólo a la hora de la cena. Y a menudo no tienen nada que decirse.

En el pasado la gente encontraba estabilidad emocional en la militancia política e ideológica. Lanzándonos en cuerpo y alma en un movimiento político, nos olvidamos de nosotros mismos y de nuestras preocupaciones cotidianas. Nuestro yo se dilata en la potencia colectiva. Pero hoy también la fe en la patria, en la causa o en un partido han disminuido. Son pocos los que encuentran en ellos valores absolutos.

En consecuencia, esta necesidad de anclaje busca de nuevo el camino de la religión. A veces en la religión oficial e institucional. Hay personas que van regularmente a la iglesia, a la sinagoga o a la mezquita. Otros, en cambio, desarrollan una especie de religión invisible, que es, en esencia, un distanciamiento del mundo para buscar un contacto con algo que está más allá de lo contingente, de las pequeñas miserias y de las angustias del momento. Alguien lo hace siguiendo los caminos orientales del distanciamiento de sí mismo, del mundo vivido como ilusión, y de apertura a otra cosa indecible. Pero tengo la impresión de que en Occidente la vía principal sigue siendo la plegaria.

Esta plegaria no es para pedir algo, una gracia. Es un don de sí. El primer mandamiento de la religión judeocristiana exige que amemos a Dios con todo el corazón, con toda el alma y con toda la fuerza. El sujeto grita que no es nada, que no vale nada, que no merece nada. Se distancia del mundo como en el rito de la consagración monástica, en el que el novicio está tendido boca abajo en el suelo, con los brazos abiertos, vacío. Y, en aquel vacío, llega Dios. Por debajo de la sociedad moderna, egoísta, angustiada y neurótica, está renaciendo una sutil corriente mística.

Elevarse

Algunas noches cuando estoy cansado, como muchos otros italianos, me quedo pasivamente ante la televisión para ver una de las habituales películas norteamericanas repletas de tiroteos, persecuciones y explosiones de principio a fin. Cuando acaban estoy irritado, cansado. Tengo la impresión de haber derrochado una parte de mi vida. Una noche descarté las propuestas televisivas y puse el vídeo de *Perfume de mujer*, con Al Pacino. Al terminar me sentía mejor, más fuerte, más lleno de vida, con el corazón henchido de emociones positivas. Si hubiera mirado la otra película mi espíritu habría sido arrastrada hacia abajo. Esta película, en cambio, me había llevado hacia arriba, me sentí enriquecido y más noble.

En el mundo moderno, los intelectuales se avergüenzan de usar expresiones como alto y bajo, noble e ignoble, superior e inferior. Sin embargo, todos sabemos que hay cosas que nos impulsan hacia arriba y otras que nos arrastran hacia abajo. Hay películas, músicas, situaciones sociales y personas que elevan nuestro ánimo. Nos llenan de entusiasmo, refuerzan nuestra capacidad de sentir y de entender. Intensifican nuestra inteligencia, nuestra dignidad y nuestro sentimiento moral. Nos dan empuje, fuerza vital y coraje. Nos hacen desear el bien. Encienden en nosotros una chispa divina. Las otras, al contra-

rio, vacían nuestra inteligencia y nuestro corazón, nos idiotizan, nos envilecen y nos aplastan en el agua estancada, en el
fango.

El pensamiento moderno ha separado las emociones de la
inteligencia, la moral de la estética. En cambio, hay una estre-
chísima relación entre el entusiasmo, la belleza y la moralidad,
entre la indiferencia, la fealdad y el mal. Dante y Shakespeare
no sólo nos comunican la experiencia de la belleza, sino que
nos transmiten fuerza y entusiasmo, una filosofía de la vida y
una moral. Miguel Ángel, en la Capilla Sixtina, nos señala un
ideal del hombre, un modelo de nobleza, de dignidad y de potencia.

Sin este impulso hacia lo alto el razonamiento moral se
vuelve frío y vacío. Y la inteligencia aridece. El descubrimiento científico es una explosión intelectual y emocional similar a
la creación musical.

¿Qué es, entonces, lo que produce esta experiencia emocional, intelectual, ética y estética, por la que nos sentimos enriquecidos, potenciados e impulsados hacia lo alto? Puede
ser una película, un concierto, una obra maestra arquitectóni-
ca o un libro, pero también una persona o un amor, e incluso
un espectáculo de la naturaleza. Puede acaecer cuando resol-
vemos un problema difícil, cuando nos esforzamos para superar una prueba peligrosa. Entonces se produce en nosotros
como una expansión del alma que se dilata, se ensimisma y
participa de aquello que es hermoso y tiene valor. Nos sumer-
gimos en un flujo vital que nos trasciende y que nos ennoblece.

En la vida cotidiana somos arrastrados por las necesidades, por aquello que nos piden los demás. Somos inauténti-
cos, dispersos y fragmentados. La mayor parte de las cosas no
nos interesan profundamente. Las hacemos por necesidad o
por hábito. Nuestro yo está dividido, extraviado y disipado.
Sólo en los momentos o en los encuentros de los que hemos
hablado, nuestro yo reúne las partes dispersas de sí mismo y
se recompone en torno a un centro y una dirección.

El arte

Cuando era chico soñaba con construir una ciencia del hombre, descubrir lo que era desconocido y reconstruir la trama misteriosa de la existencia, encontrar los vínculos y las conexiones escondidas. Deseaba crear un sistema global. Pero la ciencia nunca conducirá a un sistema global. Es un juego fascinante que siempre te da la impresión, cuando haces un descubrimiento, de haber alcanzado el corazón del ser, la esencia. Pero éste es el único momento sublime porque, en cuanto lo has aferrado, aquel conocimiento pierde importancia, entra en crisis y se desvanece. La ciencia es como la actualidad. La noticia excita, pero inmediatamente después envejece. Si la repites, aburre.

¿Qué hay, entonces, que no provoque tedio? ¿Qué hay que no se agote en un momento, sino que pueda repetirse y cada vez vuelva a enriquecernos? Antes eran la religión y los ritos. Antes había la ideología. Pero hoy ambas nos parecen sometidas al desgaste del tiempo. ¿Cuáles son, entonces, las cosas que duran a lo largo de los siglos, incluso a lo largo de milenios? Sólo las obras de arte. Miramos las pirámides, los templos egipcios, y aún experimentamos una profunda conmoción, un sentimiento de respeto. Como cuando vamos al Vaticano y observamos la Capilla Sixtina, los estupendos frescos de Miguel

Ángel y Rafael. O escuchamos la música de Mozart, Beethoven y Puccini.

El arte es lo opuesto de la actualidad. Los periódicos, una vez que los hemos leído, ya no nos interesan. Lo mismo pasa con la mayor parte de los espectáculos televisivos. Mirando *Striscia la notizia* nos reímos, pero no podemos volver a mirarlo una segunda o una tercera vez. Y lo mismo pasa con la mayor parte de los libros y de las películas. Nos interesan, nos divierten, pero cuando volvemos a leerlos o a verlos nos aburren. Pero, extrañamente, hay obras que podemos volver a mirar muchas veces. Y es más, cada vez descubrimos en ellas nuevos aspectos y salimos enriquecidos.

¿Qué tienen de particular estas obras que parecen inagotables?

Ellas nos hacen salir de nuestra cotidianeidad, de nuestros pensamientos, de nuestro cansancio, de nuestra decepción y de nuestro malhumor. Nos llevan a una atmósfera más alta y pura. Aquello que antes nos angustiaba y sofocaba, lo sentimos como una preocupación mezquina y vulgar, carente de valor. En nuestra vida cotidiana todo está al mismo nivel, a lo sumo una cosa es más urgente o más útil. Pero nunca encontramos algo que tenga una naturaleza elevada, sublime, y otra ínfima, vulgar. Esta diferencia abismal es el valor.

El arte puede manifestarse por doquier, en la música, en el paisaje, en la escritura, en el pensamiento y en la misma ciencia. Ese momento milagroso del descubrimiento, cuando el científico tiene la impresión de desvelar el misterio del ser, de entrever el armazón del universo, pertenece al arte. Y los científicos que han conseguido detenerlo en el relato, como Galileo en el *Diálogo de los máximos sistemas*, son artistas. Todos los grandes filósofos son grandes artistas. De Platón a Hegel.

Son muy pocas las obras que nos empujan a dar este paso. Que nos hacen entrar en un mundo superior, donde estamos en contacto con las esencias. Es una especie de encantamiento. De allí regresamos a nuestra vida cotidiana más ricos en saber, más fuertes moralmente. En esta experiencia bebemos ávidos el conocimiento, sentimos maravilla y respeto, admiración y reconocimiento. Escalofrío frente a la revelación. Y sólo al enfrentarnos a este desvelamiento, a este estupor, nos acercamos a nosotros mismos.